char

야마나 니코루

쿠로세 마리아

char c

세키야 슈고

타니키타 아카리

cters

이지치 유스케

니시나 렌

너를 밀어 눕히고
거세게 사랑을 나누는
망상이 머릿속에서
몇백 번, 몇천 번이나
펼쳐졌는지 모른다.
하지만
너를 만나면,
나는 너를
다정하게
대하고 싶어져
버리는 것이다.

경험 많은
너와
경험 없는
내가
사귀게 된
이야기.

6

나가오카 마키코 지음
magako 일러스트

AK
NOVEL

CONTENTS

"졸업식 날 좋아하는 사람에게 두 번째 단추를 선물하는 건, 그게 심장에서 가장 가까운 위치에 있기 때문이래."

그렇게 말하며 수줍게 웃던 루나의 얼굴이 어제 일처럼 선명하게 뇌리에 떠오른다.

"그럼 나는 이거려나?"

부끄러운 듯이 미소를 지으며 그녀가 내가 건넨 것.

교복 리본.

그날 이후로 줄곧 내 방 책상 서랍에 보관돼 있다.

"자주 빨 일이 없어서 이상한 냄새가 날까 봐 부끄럽네! 향수 뿌려줄게!"

수줍음을 감추듯이 해맑게 웃으며 떼어낸 리본에 몇 번이나 향수를 뿌리던 광경이 내가 마지막으로 본 교복을 입은 루나의 기억이다.

숨이 막힐 만큼 짙게 배어 있던 꽃인지 과일인지 모를 향기는 지금도 서랍을 열면 희미하게 코끝을 맴돌았다.

그 향기를 맡을 때마다 떠오른다.

어찌할 바를 모를 만큼 풋풋하고, 쌉싸름하고.

까치발을 해도 결코 닿지 않는 것을 동경하느라, 하늘을 향해 애써 손을 뻗었던 그 나날들이.

"……류토 것도, 줄래?"

눈만 들어 나를 올려다본 루나가, 고개를 끄덕이는 내 넥타이에 손을 걸치더니…….

"……왠지, 아내가 된 것 같아."

그렇게 말하며 멋쩍은 미소를 지었다.

"넥타이를 푸는 게? 매어 주는 게 아니라?"

"응? 퇴근하고 집에 왔을 때라든가…… 해 보고 싶은데, 안 돼?"

"기쁘긴 하지만…… 좀 흥분될 것 같아."

내 말에 루나가 확 뺨을 붉혔다.

"정말…… 야하긴."

내 가슴을 손으로 꾹 누르며 부끄러움을 참듯이 중얼거렸다.

손바닥의 온기가 옷과 피부를 관통해 그대로 심장에 와 닿은 것만 같다.

내 마음은 여전히 속수무책으로 루나에게 사로잡혀 있었다.

그날 이후 벌써 2년이라는 세월이 흘렀음에도.

제 1 장

삐리리리리리…… 삐리리리리리…….

잠잠히 식은 공기를 뒤흔들 듯이 귓가에 놓인 스마트폰에서 알람 소리가 울려 퍼졌다.

"응……."

디바이스를 손에 들고 혹시라도 스누즈 버튼을 누르지 않게 '정지' 글자를 확인한 뒤 버튼을 건드렸다.

시각은 7시.

"……후우."

여기서 다시 잠들었다간 의미가 없다. 기합을 넣고 눈을 떴다.

머리 위에 있는 창문에서 커튼 틈새를 뚫고 눈부신 빛이 새어들고 있었다. 날씨는 맑은 모양이다.

대충 나갈 준비를 마친 뒤 어젯밤에 챙겨 뒀던 가방의 내용물을 한 번 더 확인한다.

"오늘은 4교시까지 전부 수업이 있으니까……."

수업 자료가 많은 편이라 데이팩이 활약해 줄 날이다.

검은 상자 모양의 가방은 새것이었을 무렵에 비하면 다소 흐물거리긴 했지만, 아직 현역으로 활약하고 있었다. 입시학원 생활과 수험 시즌도 이 녀석과 함께 극복해 왔다.

"······영차."

그런 파트너를 등에 멘 나는, 복도로 나와 거실을 향해 말을 걸었다.

"다녀오겠습니다."

다녀와, 하며 고개를 기웃거리는 어머니 쪽을 힐끔 보고 나서, 나는 신발을 신고 현관을 나섰다.

"추워······."

저도 모르게 말이 입 밖으로 나왔다.

아침의 바깥공기는 귀와 이마, 얼마 노출되지 않은 맨살이 따끔거릴 만큼 싸늘했다. 눈을 깜빡이는 찰나의 순간에도 속눈썹에서 찬기를 느낄 정도였다.

코트 주머니에 손을 넣어 쓰지 않고 계속 넣어 두기만 했던 장갑을 서둘러 꺼내 장착했다.

이 장갑은 1년 전 크리스마스에 그녀가 선물해 준 것이다. 당연히 직접 만든 건 아니지만, 폭신폭신 따뜻한 데다 스마트폰 조작까지 할 수 있는 우수한 물건이다.

역 앞으로 다가갈수록 길을 걷는 사람들의 밀도가 높아졌다. 개찰구로 들어갈 때쯤이 되자 소매가 스칠 지경이었다.

이 시간에 K역에서 출발하는 전철은 플랫폼에 넘쳐흐르는 사람들을 채 담지 못했음에도 지옥처럼 혼잡했다. 인접한 A역에서 사람들이 우르르 내리는 덕에 역 하나를 가는 동안만 참으면 됐지만, 1

교시부터 수업이 있을 때는 그 혼잡함 때문에 우울한 기분이 들었다.

비교적 초반에 탑승한 나는 안쪽 문 근처까지 떠밀려 들어가, 차가운 창문에 얼굴을 짓누르듯이 체중을 기대고 있었다. 스마트폰도 꺼내지 못한 채 멍하니 바깥 풍경만 쳐다본다.

대학에 입학하고 두 번째 겨울을 맞았지만, 이 계절의 승차율은 사람들이 껴입은 두꺼운 외투 때문인지 여름보다 1.5배는 더 되는 듯했다.

조금 전까지 느껴지던 뼛속을 파고드는 듯한 냉기가 맹렬한 열기와 습기로 변해 밀어닥쳤다. 그때마다 두껍게 껴입은 옷이 후회됐지만, 잠깐의 만원 전철 때문에 얇은 옷을 입을 수도 없는 노릇이니 어쩔 수 없었다.

어느새 둑에 다다른 전철이 철교 위를 달렸다. 눈앞에 펼쳐진 벚나무 가로수길에 저도 모르게 시선을 빼앗겼다.

겨울의 벚나무 길은 잎 하나 없이 갈색으로 바래 있어서 어쩐지 서글픈 기분이 들었다.

저 벚나무 길에서 기쁘게 미소 짓던 루나의 얼굴을 떠올리자 가슴이 꽉 조여들었다.

내 마음은 여전히 그날에 머물러 있다.

A역을 지나자 서 있어도 타인의 압력이 느껴지지 않을 만큼 여유가 생겼다.

나는 운 좋게 빈 좌석에 미끄러지듯 앉았다. 노약자석이 아니라서 한동안 차분히 시간을 보낼 수 있게 됐다.

스마트폰을 꺼내 메시지를 확인했다.

> 안녕—!
> 이번 달도 바쁘지만 힘낼게~

그녀에게서 온 메시지는 아직도 어제 아침에 머물러 있었다.

> 오늘은 어땠어?
> 잘 자.
> 좋은 아침.
> 1교시 다녀올게.

어제 자신이 했던 발언에 이어서 재차 메시지를 보낸 뒤 살며시 앱을 닫았다. 그리고는 손에 쥔 스마트폰을 물끄러미 쳐다보았다. 남자 취향이라기엔 다소 아기자기한 스마트폰 케이스는 그녀와 세 번째로 맞춘 커플 케이스였다.

대학과 제일 가까운 역에서 내리는 사람은 회사원과 대학생뿐이었다. 다들 빠른 걸음으로 발밑만 보고 있다.

걸음을 떼며 스마트폰을 확인해 봤지만, 그녀에게서는 아직 답신이 오지 않았다.

"……."

이렇게 촌스러운 호오대생은 이 캠퍼스에 나 하나뿐일지도 모르겠다.

나는 그렇게 생각하며 눈에 익은 멋스러운 정문을 지나갔다.

정각이 되기 10분 전쯤에 강의실에 도착하자 어째서인지 수업은 이미 시작된 상태였다.

"오늘은 내가 회의 때문에 15분 일찍 강의를 마치고 갈 거라서, 먼저 프린트를 배부하겠습니다."

강단에 서 있던 초로의 남자 교수가 마이크가 없으면 절대 들리지 않을 웅얼거리는 목소리로 학생들 쪽으로는 눈길도 보내지 않은 채 말했다.

수백 명을 수용할 수 있는 대강의실에는 이른 아침이라는 시간대와 교수의 이른 수업 시작 때문에 아직 손으로 꼽을 수 있을 정도의 학생밖에 모여 있지 않았다.

고대 그리스 극장처럼 생긴 계단식의 기다란 책상은 아래쪽으로 내려갈수록 1열의 길이가 짧아지며 교탁과 가까워졌다.

경험상, 수업이 시작되고 난 뒤에도 학생들이 속속 들어오는 데다 여러 친구들과 몰려다니는 녀석들은 어김없이 뒷자리에 진을 쳤기 때문에, 자리의 절반을 경계로 뒤쪽 줄은 인구밀도가 높아졌다. 그것을 회피하려고 나는 앞쪽으로 나가 세 번째 줄에 자리를 잡았다.

"네."

교수의 눈을 피하며 프린트 다발을 건네받았다. 세 번째 줄에는 나밖에 없었고, 심지어 네다섯 번째 줄에는 아무도 자리에 앉은 사람이 없었기에 일부러 일어나 여섯 번째 줄에 앉은 학생에게 프린트를 배달해야 했다.

여섯 번째 줄에는 남녀 학생이 나란히 앉아 있었다.

내가 말없이 프린트 다발을 건네자, 여학생 쪽이 힐끔거리며 내 얼굴을 확인했다.

"……아냐?"

"후후훗, 싫다~."

두 사람에게서 등을 돌리며 자리로 돌아가는 와중에, 그들이 뒤에서 시시덕거리는 소리가 살짝 내 신경을 거슬렀다.

수업은 언제나처럼 지루했다.

학점을 따기 쉽다는 이유만으로 선택한 기호논리학 일반 교양 강의는 너무 매니악해서 교수가 하는 얘기를 도통 알아들을 수가 없었다. 일설에 따르면 교재로 몇천 엔이나 하는 두꺼운 본인의 저서를 매년 몇백 명의 학생에게 강매하는 것이 교수의 유일한 목적이라나. 그 설을 뒷받침하듯 강의 자체도 거의 교재 읽기로 시작해 교재 읽기로 끝났기 때문에, 1학기 시점에서 필기를 할 의욕은 사라졌다.

출석률을 반영하지 않는 강의라서 교재를 읽고 학기 말 시험만 치러 오는 학생도 적지 않다고 한다. 확실히 1학기 시험 때는 강의실 좌석이 본 적도 없을 만큼 꽉 들어차 있어서 경악하긴 했다.

"……그럼 오늘은 여기까지. 다음 강의 때는 다음 섹션으로 들어

가겠습니다."

오늘도 내용을 전혀 알아듣지 못한 채 강의가 끝났고, 교수는 부리나케 짐을 챙겨 돌아갔다.

"……."

허무하다……. 그런 생각이 들었지만, 그 감상을 나눌 친구도 없었기에 외로이 교재를 가방에 챙겨 넣고 퇴실했다.

"야~, 나 이 수업 전혀 이해가 안 가는데 괜찮은 거냐?"

"나도~."

"너무 허무한데."

"내 말이~."

"매일 출석하는 녀석들은 이해가 가려나?"

"글쎄. 나도 이번 학기에 출석한 게 두 번밖에 안 돼서."

"진짜냐."

같은 강의를 들은 남학생 두 명이 내 뒤를 바싹 따라왔다.

"그보다 유카리가 지금부터 시나가와에서 파르페를 먹을 거라고 하던데."

"정말~?"

"인스타에 글이 올라왔길래 메시지를 보냈더니 올 거냐고 묻더라고. 같이 가지 않을래?"

"헐, 너 2교시 수업은?"

"이이다한테 부탁하면 되지 않을까? 그 녀석이라면 출석할 테니까."

"아하. 그럼 나도 갈래."

"그런데 유카리, 남친이랑 조만간 헤어질 것 같다더라."

"진짜? 광고 대리점에 다닌다던?"

"나한테 하소연을 하더라고. 그 말은 나한테도 기회가 있다는 뜻 아닐까?"

"글쎄다, 그래도 미인대회 출전까지 한 애인데 네가 넘보기엔 너무 높은 나무 아닐까?"

얼른 멀어지고 싶어서 가고 싶지도 않은 화장실에 들렀는데, 두 사람도 그대로 들어오는 바람에 셋이 나란히 용변을 보는 지경에 처하고 말았다.

"그런데 너, 유카리도 좋은데 전에 말했던 동아리 후배는 어떻게 됐어?"

"아~, 걔는 뭐 킵해 두려고."

"섹프?"

"응~ 뭐, 친구 이상 섹프 미만이려나? 계속 만날 생각이 없는 건 솔직히 아닌데, 살짝 여친이라도 된 것처럼 굴기 시작해서 방류 중이야. 그런 너는 요즘 어떤데?"

"난 길거리로 나가고 있지. 호오대 여자애들은 콧대가 높지만, 학교 밖에는 귀여운 애들이 런치 무제한 상태로 굴러다니거든. 학생증을 보여 주면서 헌팅해 보면 알걸?"

"진짜야? 그렇게 굴러다닌다고?"

"진짜라니까 그러네. 역시 호오대 이름값은 무시 못 한다니까. 호오 보이라는 것만으로도 여자들 눈빛이 돌변하거든."

"진짜냐~! 언제 꼭 써먹어야겠네."

"뭐~, 사귈 수만 있다면 유카리 같은 애가 최고긴 하지만 말이야. 나는 확실히 넘어올 것 같은 애랑 견실하게 놀려고."

"아하하! 이상하지 않아? 그 말?"

응. 이상해, 그 말.

"아~, 그래도 2교시를 째면 3교시 때 늘어질 텐데."

"그러게~. 오늘은 그냥 자체 휴강해야겠다."

연거푸 비누칠을 하며 꼼꼼히 손을 씻고 있자니 두 사람이 화장실을 나갔다.

안도했다.

그리고 동시에 와락 피로가 밀려왔다.

"저런 녀석들이랑 같은 호오대생인 거냐고, 나는……."

아무도 없는 화장실의 손 세정대에 우두커니 서서 수건으로 손을 닦다 보니 갑갑한 기분이 들어서 그만 혼잣말을 내뱉고 말았다.

─학교 밖에는 귀여운 애들이 런치 무제한 상태로 굴러다니거든.

그런 건가.

조금, 아니, 꽤 부럽다고 생각하면서도, 막상 시도해 볼 용기는 나지 않았다. 애초에 버젓이 여친이 있는 것이다.

설령 여친이 없다고 해도 저렇게 모르는 여자애들과 줄줄이 사귀는 건 나처럼 낯을 가리는 아싸에게는 허들이 너무 높아서 생각만

해도 마음이 망가질 것 같다.

그렇다, 중요한 건 마음이다.

나는 귀여운 여자의 몸과 사귀고 싶은 게 아니다.

한 사람의 인간으로 마주한 끝에 제대로 마음이 통한 여자아이
와…… 그런 아이이기 때문에 더욱 안심하고 사랑을 나눌 수 있는
것이다.

요새는 뜸하지만…….

"……."

마침 메시지를 보냈던 게 떠올라 스마트폰을 확인하자, 여전히 채
팅방의 메시지는 내가 보낸 '다녀올게'에 머물러 있었다.

"……."

다시 마음이 싸늘해져서 나는 비척거리며 2교시 수업이 이뤄지는
강의실로 향했다.

그렇게 2교시 수업을 무사히 마치고 내가 도착한 곳은 학생 식당
이었다. 2교시와 3교시 수업이 있는 날은 시간이 촉박해서 점심 식
사의 선택지도 필연적으로 교내로 한정되었다.

광활한 홀처럼 생긴 대식당도 있지만, 나는 그 위에 있는 강의실
같은 내부에 회의실에나 있을 법한 긴 테이블과 접이식 의자가 놓인
살벌한 이 식당이 마음에 들었다. 분위기는 살벌하지만 요리는 양이

넉넉하고 맛도 있었다. 교내에는 이 두 곳 외에도 호텔 셰프가 메뉴를 감수하고 있다는 감각적인 인테리어의 카페테리아가 있었지만, 여학생 비율이 높아서 아싸에게는 용기가 필요했기에 한 번밖에 가본 적이 없다.

이곳은 아무튼 분위기가 살벌해서, 배가 고파서 무조건 고봉으로 밥을 먹고 싶은 운동부나 혼자 와서 내내 스마트폰을 보며 식사를 마치는 학생이 많았다.

나는 그렇게 대식가는 아니지만, 싸고 양이 넉넉한 건 남자로서 고마웠다.

대표 메뉴인 카츠카레 식권을 사서 교환한 뒤 쟁반을 들고 자리에 앉아 묵묵히 숟가락을 입으로 옮기기 시작했을 때였다.

"카시마 공. 역시 이곳에 있었구려."

마찬가지로 카츠카레가 담긴 쟁반을 옆에 내려놓으며 누군가가 말을 걸어왔다.

"쿠지바야시."

문학부 국문학과 전공 2학년생으로 내 유일한 대학 친구인 쿠지바야시 하루쿠였다.

쿠지바야시와는 1학년 때 어학 수업을 같이 들었다. 수업에서 둘이 한 조가 되어 대화를 나누다가 둘 다 아싸라는 사실을 알고는 의기투합해서 그 이래 이 화려한 캠퍼스의 그늘에서 몸을 맞대듯 친분을 이어가고 있다.

"왜 그러시오? 귀군, 아무래도 기운이 없어 보이는구려."

쿠지바야시의 말투는 들으면 알다시피 개성이 강하다.

확실하지는 않지만, 중학교 1학년 때 지나치게 내성적이라 5월이 될 때까지도 반 아이들 중 누구와도 말문을 트지 못한 스스로에게 조급함을 느낀 나머지, '평소와 다른 캐릭터가 되면 얘기를 나눌 수 있을지도 모른다'는 생각에 문어체로 말을 걸어 봤다가 그게 반 아이들 사이에서 대박을 터뜨리며 인기인이 됐고, 그 뒤로 이 말투가 아니면 다른 사람과 대화를 나눌 수 없게 됐다는 듯했다.

"아니, 그게 좀…… 같은 강의를 듣던 경박한 호오대생을 봤더니 침울해져서."

사실은 여친에게 답신이 없는 것도 마음에 걸렸지만, 쿠지바야시에게 여자 친구 얘기를 했다간 언짢아할 게 뻔했기에, 얼굴을 보자마자 바로 얘기하는 건 관두기로 했다.

"호오, 그거 흥미롭구려. 귀군에게도 그럴 때가 있다니. 소생보다 몇 배는 더 현실에 충실한 갓반인이거늘."

참고로 쿠지바야시의 이 말투는 완전히 '느낌만 따라 한' 것이지, 딱히 특정 시대 특정 계급의 말투를 모방한 건 아니라고 한다. 그래서 영어를 억지로 일본어로 변환하는 개그맨처럼 엄격한 규칙은 없는 듯했다.

"아니, 그렇게 말하면 쿠지바야시는 나보다 몇 배나 남자답잖아."

그랬다, 쿠지바야시는 비록 이런 캐릭터지만 얼굴이 잘생겼다. 빽빽한 눈썹과 속눈썹에 음영이 또렷하고 짙은 이목구비는 얼핏 라틴계 인종의 피가 섞여 있는 것처럼 보였지만, 부모님 두 분 다 토종

일본인이라나. 키는 나보다 조금 커도 체격은 거의 표준이라 그건 그것대로 납득은 가지만.

다만 쿠지바야시는 근시가 심해서, 두꺼운 검은 테 안경을 쓰고 있었다. 그래서 진한 이목구비가 유난히 느끼해 보여 유감스럽게도 여자들에게 인기가 있을 분위기는 아니었다. 나도 안면을 튼 지 몇 주가 지난 뒤 같이 라멘집에 갔다가, 수증기로 흐려진 안경을 벗는 모습을 보기 전까지는 그가 그렇게 잘생긴 줄은 꿈에도 모르고 있었다.

내가 칭찬하는데, 쿠지바야시가 숟가락을 손에 든 채 냉소했다.

"소생에게 그런 소리를 하는 건 귀군뿐이라오."

"그야 달리 친구가 없어서겠지. ……우리 둘 다 말이야."

"핫, 핫, 핫!"

쿠지바야시의 고전 예능 같은 웃음소리를 들으며, 나는 카츠카레를 맛보았다.

쿠지바야시는 내 대학의 오아시스다.

"하지만 광대였던 소생과는 달리 귀군에게는 고교 시절 친구가 있었잖소. 설마 더는 연락을 하지 않는 게요?"

"아……."

카레를 먹던 손을 멈추며 나는 눈앞을 응시했다. 맞은편 테이블에서는 운동부로 짐작되는 우락부락한 덩치의 남학생이 나란히 놓인 카츠카레 두 접시를 허겁지겁 먹어 치우고 있었다.

"……그러고 보니 한동안 연락을 안 했네. 잘 지내는 건 알고 있지만.”

잇치는 아직도 참가형 키즈를 하고 있어서 KEN의 영상과 트위터를 통해 존재를 확인할 수 있다. 닛시도 게임의 디스코드가 가끔 온라인 상태가 되곤 해서 무탈하다는 건 알고 있었다.

고등학교 시절, 우리들의 공통 취미이자 가장 많은 비중을 점했던 화제는 단연코 KEN이었다.

하지만 요즘 나는 KEN의 영상을 따라가지 못하고 있다. 강의와 알바로 바빠서, 집으로 돌아와 자기 전까지 영상을 보려고 침대에 눕기 무섭게 그대로 곯아떨어지는 것이다. 보지 못한 영상이 어느덧 산처럼 쌓여서, 시간이 있을 때 몇 개인가 보는 정도로 전부 소화하지는 못하고 있었다.

“보고 싶긴 한데…… 지금은 만나 봤자 얘기할 거리가 없을지도 모르겠다.”

졸업 후, 잇치는 니쿄 대학 건축학과에 입학했다. 닛시는 세이메이 대학 법학부. 둘 다 도내에 있는 대학이라 본가에서 살고 있으니 만나려고 작정하면 언제든 볼 수 있지만, 문학부 사회학과 전공인 나와는 대학에서 공부하는 내용도 공통되는 점이 전혀 없었다.

“강물은 끊임없이 흐르나니 그곳에 있는 물도 원래 흐르던 물이 아니도다. 괸 강물 위에 떠 있는 물거품 또한 사라졌다 다시 생겨나며 영원히 한곳에 머무르는 법이 없으니…….”

쿠지바야시가 『방장기(方丈記)』의 첫머리를 암송하기 시작했다. 이건 ‘느낌만 따라 한’ 어록이 아니라, 문학부 전공자이기에 알고 있는 지식이리라.

쿠지바야시는 2학년이지만 이미 대학원 진학을 희망하고 있다. 특히 관심이 많은 분야는 근대문학으로, 졸업 논문은 모리 오가이에 대해 쓸 생각이라고 했다. 장래 희망은 그대로 박사 과정을 밟아 연구자가 되는 것이다. 듣기로는 그의 아버지도 대학 교수라서 (전공은 미국 문학) 아들의 이름도 취미로 읽던 미국만화에서 따왔다고 했다.*

"……일찍이 한 웅덩이를 떠다닌 물거품들이라면, 강물이 흘러간 곳에서 또다시 마주칠 일도 생기겠지."

이건 카모노 쵸메이**가 아니라 쿠지바야시 본인의 말이다.

아무래도 위로해 준 모양이다. 내가 그렇게 처량한 얼굴을 하고 있었던 걸까.

"고마워. 그럴 기회가 생기면 좋겠네."

가볍게 감사 인사를 한 뒤 나는 테이블 위에 올려놓은 스마트폰으로 눈길을 보냈다. 시각을 확인했지만 사실 신경이 쓰이는 건 그녀에게서 답장이 도착했는지 여부였다. 알림 설정을 켜 놓았으니 잠금 화면에 표시되지 않았다는 건 확인할 필요도 없이 답장이 오지 않았다는 뜻이다.

"……."

어째서일까. 진작 일어나서 일을 하러 갔을 시간인데.

게다가 어젯밤 이후로 연락이 없다는 것도 마음에 걸렸다. 별일

---

* 쿠지바야시의 이름인 '하루쿠'는 마블 코믹스 히어로인 '헐크'를 일본어로 음차한 것이다.
** 『방장기』의 저자.

은 없는 거겠지…….

"귀군, 그 밖에도 무슨 근심이 있는 건 아니오?"

아니나다를까, 쿠지바야시가 눈치채고 말았다.

"……그게, 실은 어젯밤부터 여친이랑 연락이 안 돼서……."

"호오오."

쿠지바야시는 예상과 다르게 기뻐하는 눈치였다. 평소에 내가 여자 친구 얘기를 꺼내면 샘이 나는지 별로 듣는 척도 안 하더니, 이런 얘기에는 기분이 좋아지는 모양이다.

"귀군을 깜빡 잊어버릴 만큼 어지간히도 즐거운 시간을 보낸 모양이구려."

"그건 아닐걸. 오늘도 출근하는 날이니까."

어른스럽지 못하게 불쾌감을 드러내며 대꾸하고 말았다. 여유가 없다는 증거다.

"오히려 컨디션 불량으로 쓰러졌을까 봐…… 내가 걱정되는 건 그런 쪽이니까."

"병에 걸렸다면 가족이 귀군에게 알렸겠지. 그만큼 갑작스러운 병이라면 말이오."

"……그 정도로 심한 건 아닌 갑작스러운 병일 수도 있잖아."

"그렇다면 내일쯤에는 병도 낫겠지. 어느 쪽이건 귀군이 우려할 일은 아니구려."

쿠지바야시가 실실거렸다.

"태어나서 지금까지 처자의 손 한 번, 손가락 하나 잡아 본 적 없는 동정 요괴의 처량한 심정을 귀군도 조금은 깨닫는 게 좋을 것이오."

동정 요괴란 쿠지바야시가 스스로를 비하할 때 사용하는 말이다. 쿠지바야시는 중고 일관제*를 채택하고 있는 명문 남학교 출신으로, 사춘기 때 실물 여성에 대한 정보를 철저하게 차단당하면서 쌓인 절망이 일그러진 리비도와 세상 모든 커플들을 향한 원망으로 화해, 정신적으로 요괴화 돼 버렸다고 한다. 무슨 소리를 하는 건지는 나도 잘 모르겠지만, 본인이 전에 그렇게 말했다.

"쿠지바야시는 정말 얄밉네……."

상처 입은 척 한숨을 내쉬자, 쿠지바야시의 얼굴에 조바심이 서렸다. 근본은 다정하고 착한 사람인 것이다.

"그럼 난 슬슬 가 볼게. 3교시가 남관 5층이라서."

"어, 어어……."

다 먹은 카레 접시를 얹은 쟁반을 들고 일어서는 내게, 쿠지바야시가 머뭇거리며 시선을 보냈다.

"병이라면, 내일은 분명 연락이 올 것이오."

오늘로 두 번째인, 쿠지바야시 나름의 격려를 받자 저절로 미소가 새어 나왔다.

"그러게. 고마워."

쟁반을 반납하고 식당을 나서자 조금 전까지의 무거웠던 발걸음도 조금은 가벼워져 있었다.

---

* 중고교 과정을 통합해 운영하는 에스컬레이터식 교육 시스템. 주로 명문 사립학교에 많다.

역시 마음이라고 생각한다.

다른 사람은 어떤지 몰라도, 적어도 나는 서로 마음을 허락한 사람의 호의를 느낄 때마다 기운을 얻고 위로를 받는 인간인 것 같으니까.

그런 존재가, 그 시절의 나에게는 몇 명이나 있었는데.

지금 돌이켜보면 그렇게 반짝이던 나날은 내 20년 남짓한 인생 속에서 그 한순간뿐이었다.

루나와 친구들과 웃으며 보냈던, 매일이 떠들썩한 축제 같았던 고등학교 시절이 그리웠다.

◇

4교시 수업까지 끝내자 오늘 이수할 모든 강의가 종료되었다.

시각은 오후 4시를 지나가고 있다. 나는 역시나 아는 사람이 한 명도 없는 대강의실을 뒤로한 채 쏜살같이 대학 구역 내를 나와 빠르게 역으로 걸어갔다.

오후 4시 무렵의 전철은 아직 한산했다. 학교에서 귀가하는 중고등학생들의 이야기 소리가 또렷하게 들릴 정도로, 탑승한 사람들의 표정도 온화했다.

좌석이 알맞게 채워질 정도의 승차율이었기에, 나는 열리지 않는 쪽 문 옆에 서서 차창 밖 풍경으로 시선을 보냈다.

선로에서 보이는 오피스 거리에서는 가로수길의 일루미네이션에 막 불이 켜지려던 참이었다. 그 주변을 젊은 커플들이 몸을 맞댄 채 걷고 있다.

"......."

바로 그 순간, 주머니 속의 스마트폰이 진동했다.

황급히 폰을 꺼내 확인하자, 게임 앱의 체력 게이지가 충전됐다는 알림이었다.

"......."

내 정신 게이지는 살짝 소모되고 말았다.

집에서 가장 가까운 K역에 내린 나는 역 앞 번화가로 향했다.

패밀리 레스토랑 등이 입점해 있는 5층짜리 상가 건물 1층에 내가 아르바이트하는 곳이 있다.

대학에 입학하자마자 나는 이 개별지도 학원에서 강사로 일하기 시작했다.

부모님은 학비를 내주는 대신 용돈은 알아서 벌어 쓰라는 방침이었기에, 나는 입학하자마자 뭐든 알바를 해야 했다. 왕도라고 할 수 있는 요식업계 서비스업은 아싸에게는 허들이 높다. 체력과 힘을 써야 하는 일도 잘할 자신이 없었다.

결국 공부밖에 해 본 게 없었던 내게는 공부와 관련된 일이 제일 시도해 보기 만만했다. 게다가 학생과 1대1로 하는 수업이라면 많은 사람들 앞에서 쉽게 긴장하는 나라도 어떻게든 될 것 같다는 생각이 들어, 예전부터 존재를 알고 있었던 동네 학원을 선택했다.

"안녕하세요."

입구에 멈춰 서서 가볍게 인사를 한다.

"안녕하세요~."

접수대 건너편에 있던 직원과 강사 선생님들에게서 산발적으로 대꾸가 돌아왔다. 내 짐작이긴 하지만, 이곳 사람들은 공부만 한 아싸들이 많아서인지 비슷한 연령대의 사람들끼리 모여 있어도 사담을 나누는 일이 적어서 어색함은 별로 느껴지지 않았다.

강사 대기실로 가서 짐을 내려놓고 수업 준비를 하러 출입문 앞에 있는 직원실로 돌아왔다.

직원실에는 학교 교실 정도 되는 넓이의 방에 회의실에 있을 법한 접이식 의자와 긴 책상이 늘어서 있다. 벽 가장자리에 있는 책장에는 책등에 학생들의 이름을 붙여 놓은 '지도 파일'이 빼곡히 꽂혀 있었다.

"오늘은…… 3교시가 마키무라고 4교시가 쿠와바라네."

시간표를 체크하며 확인을 위해 작게 혼잣말했다.

지금은 2교시 수업 중으로, 나처럼 3교시부터 투입되는 강사들이 수업 준비를 하고 있다. 직원실에는 학생이 쓸 교재들이 놓여 있어서 강사는 오늘 가르칠 범위를 복사하고 해답을 기입하는 등 가볍게 예습을 하거나 칠판에 적을 내용을 생각한 뒤 각자 수업에 임하게 되어 있다.

게다가 수업을 마친 뒤에는 오늘 수업 내용이나 학생이 공부하다가 막힌 포인트 등을 기재하는 '지도 리포트'를 작성하는 업무가 있으며, 그것을 직원에게 확인받고 지도 파일에 철한 뒤 퇴근하는 것이 대강의 흐름이었다.

나는 요령이 나빠서 지도 리포트를 자잘한 글씨로 상세하게 기입해 버리는 버릇이 있는 탓에 이 작업에도 시간이 걸렸다. 수업 외 시간에는 시급이 발생하지 않기 때문에, 수업 전후 30분, 합쳐서 1시간 정도를 매일 공짜로 일하고 있는 셈이 된다.

현재 시급은 1400엔으로, 대학생 알바치고는 수입이 괜찮은 편이지만 무급 노동 시간을 포함하면 과연 정말로 조건이 좋은 근무처인지 고개가 갸웃거려졌다.

이 학원에서 나는 주로 중고등학생에게 영어를 가르치고 있다. 지도 가능 과목은 '문과 계열 전반'이라고 말해 뒀지만, 개별지도로 국어와 사회를 배우길 희망하는 학생은 몇 명 되지 않는 데다 국어 등을 가르칠 수 있는 강사는 오히려 넘쳐났기에 필연적으로 수요가 많은 영어를 가르치는 일이 많아졌다. 특히 나는 '호오대생'이라는 간판 덕에 직원에게 과대평가를 받고 있는지, 상위권 대학을 지망하는 진학계 고등학생 등, 부담감이 큰 학생들을 떠맡게 되는 일이 많았다.

가르치는 상대가 초등학생이든 고등학생이든 받는 시급은 동일하건만.

"카시마 선생님."

수업에 쓸 교재를 복사하고 있는데, 막 복사가 끝난 타이밍에 한 강사가 말을 걸어 왔다.

이 요일에 자주 마주치는 덩치가 작은 여성 강사로, 나와 비슷한 나이의 대학생처럼 보였다. 청초한 분위기의 느낌이 좋은 사람이라고 생각하고는 있었지만 얘기를 나누는 건 이번이 처음이다.

"마키무라 메구미 말인데요."

"네? 아, 네."

마키무라 메구미는 3교시에 내가 담당하는 중3 여학생이다. 지역 공립학교에 다니는 학생으로, 지금은 고등학교 입시가 코앞이라 지망학교의 과거 문제 지도를 하고 있다.

"카시마 선생님은 영어 담당이시죠? 저는 국어 담당이에요."

"아아, 네."

가슴팍의 명찰을 보자 '우미노 유코'라고 적혀 있다. 확실히, 지도 파일에서 본 적이 있는 이름이다.

그와 동시에 오래전부터 인식하고 있던 강사의 얼굴과 이름이 일치하지 않았다는 사실에 위축됐다. 다시금 스스로가 엄청난 아싸라는 실감이 들었다.

그런 비사교적인 내게 이 사람은 대체 뭘 전달하러 일부러 온 걸까. 내가 주눅 들어 있자, 우미노 선생님이 내 경계심을 풀 듯이 친근함이 담긴 미소를 지었다.

"메구미가 '카시마 선생님이 자상하고 멋지다'고 말하더라고요. 선생님을 많이 좋아하는지, '입시가 끝나서 학원을 그만두는 게 아쉽다'고 요즘 자주 말해요."

"……그래요?"

내성적인 아이라 본인에게서는 전혀 그런 느낌을 받지 못했다. 오히려 미움받고 있을지도 모르겠다는 생각마저 했는데 그렇다고 하니 마음이 놓였다.

개별지도는 강사와 학생의 상성이 중요하기에, 학생과 보호자의 요청이 있을 경우 언제든지 강사를 변경할 수 있다. 직원이 사무적인 사정 (개별지도 요일이 맞지 않게 됐다 같은) 외의 변경 사유를 명확히 전해 주는 일은 없지만, 자신은 잘하고 있다고 생각했는데 난데없이 담당에서 제외된다면 충격에 온갖 억측을 하고 말 터였다.

뭐, 마키무라는 막 중3이 됐을 때부터 담당했으니 이제 와서 담당을 변경당할 걱정은 사실 하고 있지 않았지만 말이다.

"그렇지, 선생님. 이번 주 토요일 회식에 참석하실 거예요?"

퍼뜩 생각이 난 것처럼 우미노 선생님이 말했다.

"네? 회식요?"

"네. 2학년 이상의 대학생 강사들을 대상으로 월 1회 정도 하고 있는데요, 그러고 보니 선생님은 뵌 적이 없구나~ 싶어서요."

이 학원에서 근무를 시작한 지 벌써 2년이 다 되어가고 있었지만, 강사들이 모여 회식을 하고 있었다는 얘기는 금시초문이었다. 내가 초대받지 않았을 뿐이지 사교적인 사람들은 그런 일을 하고 있었구나. 컬처 쇼크다.

"괜찮으시면 참석하실래요?"

"……그거야, 네."

순간 거절할 담력이 생기지 않아서, 그만 고개를 끄덕이고 말았다.

그리고는 퍼뜩 당황했다.

"……제가 아직 열아홉 살인데 괜찮을까요?"

우미노 선생님은 생긋 웃으며 고개를 끄덕였다.

"네. 저도 생일이 지나기 전부터 참석했으니까요. 소프트 드링크로 주문하면 돼요."

"그렇군요……."

참석하지 않을 이유가 사라지는 바람에 얼이 빠져나갔다.

"카시마 선생님은 빠른 년생이시군요. 저도 12월생인데, 생일이 가깝다니까 기분이 좋네요."

그런 내게 우미노 선생님이 호감 가는 미소를 지어 주었다.

"그럼, 간사한테 전달해 둘게요. 연락처를 여쭤봐도 될까요?"

"앗, 네……."

"선생님, 오늘은 4교시까지 수업하시죠? 저도 마찬가지니까 퇴근할 때 대기실에서 봬요."

"알겠습니다……."

우미노 선생님은 나에게서 등을 돌리며 떠나갔다.

나는 황급히 3교시 준비로 돌아갔다.

마키무라와의 3교시 수업은 여느 때와 다르지 않았다. 내 얘기를 들으며 이따금 눈을 맞출 때도 그 얼굴에 미소나 애교는 보이지 않아서, 아까 우미노 선생님의 얘기를 떠올리며 어쩐지 여우에게 홀린 듯한 기분으로 수업을 마쳤다.

10분 간의 중간 휴식 후 시작된 4교시는 나에게는 고 칼로리가 소모되는 오늘의 메인 업무였다.

4교시의 쿠와바라는 고등학교 2학년 학생이다. 도내 사립 진학계 고등학교에 다니는 남학생으로, 국립을 포함한 상위권 대학을 지망하고 있다.

분명히 말해서, 대학 1, 2학년 학생이 고등학생의 수업을 담당하는 건 상위권 지망과 상관없이 그것만으로도 담력이 필요한 일이다. 자신도 바로 얼마 전까지는 고등학생이었다는 자각이 있는 와중에 덩치나 얼굴도 그다지 차이가 없는 상대 앞에서 선생 노릇을 하는 건 조금 부끄러운 일이었다. 심지어 그가 다니는 학교는 세이린 고등학교보다 훨씬 편차치가 높은 학교라서, 처음에는 '정말 제가 해도 되는 건가?'라는 생각밖에 들지 않았다.

쿠와바라도 담당을 시작하고 1년에 가까운 시간이 흐른 최근에야 제법 속내도 파악할 수 있게 되어 대하기 편해지긴 했지만, 넋을 놓고 수업을 하다 보면 이따금 날카로운 질문이나 태클을 걸어 와서 방심할 수 없는 학생이었다.

"……선생님."

그런 그가, 수업 중에 불쑥 말을 걸어 왔다.

"저, 여친이 생겼는데요."

그 눈은 반짝거리고 뺨은 붉어져 있다. 농담이 아닌 모양이다.

"엇, 그렇구나."

나는 주위를 슬쩍 둘러보았다.

수업을 진행하는 교실이 되는 장소는 자잘하게 칸막이로 틀어막힌 부스 안이었다. 책상 하나가 들어갈 정도의 공간 주위를 플라스틱으로 된 얇은 벽이 구분하고 있다. 정면에 화이트보드가 설치된 그 개인실이 이 층에는 무수히 많이 늘어서 있었다. 가까운 거리의 목소리는 거의 다 새어나갔기 때문에, 강습 등으로 부스가 복작이는 시기에는 강사들이 언성을 높이지 않으면 자기 학생들에게 들리지 않을 정도였다.

"어떤 애야?"

직원이 근처를 순찰하는 기색도 없었기에 나는 잡담에 응했다.

쿠와바라의 학교는 남학교라 여자애를 마주칠 일은 적을 터다.

"입시학원에서 만난 애예요. 고전문학을 같이 듣는데, 얼마 전 동계 강습 때 같이 점심을 먹다가 '사귀자'는 말을 들었어요."

쿠와바라는 입시학원과 개별 지도 학원 양쪽을 다 수강하는 학생이었다. 기본적으로 입시학원에서 입시 과목의 단체 수업을 받고 있긴 하지만, 취약한 영어 과목은 맨투맨 방식으로 지도받고 싶어서 이곳도 다니고 있다.

"잘됐네."

흐뭇한 마음으로 나직이 중얼거리자, 쿠와바라의 낯빛이 어두워졌다.

"하지만, 부모님한테 자랑했다가 혼이 났어요. '앞으로 수험생이 될 건데 무슨 생각이냐. 바보가 될 테니까 헤어져.'라고요."

"그렇구나……."

부모님의 걱정은 이해하지 못할 것도 아니다. 실제로 내가 입시 학원에 다니던 때도 고3 여름 방학에 같은 반에서 사귀기 시작한 남녀 학생이 있었는데, 남자는 5지망까지 깔끔하게 떨어졌고 여자 쪽은 수시로 1지망 학교에 합격했다. 그 뒤 두 사람은 곧 헤어졌다고 한다. 비극적인 얘기다.

참고로 나와는 전혀 친분이 없는 사람들이었기에 정보원은 전부 세키야 씨였다. 세키야 씨는 남들이 '이별하는 얘기'를 아주 좋아해서, 실시간으로 헤어진 커플을 알아내려고 친하게 지내는 튜더를 통해 학생들의 사랑 얘기를 수집해서는 굳이 시기하고 질투하는 진성 M 같은 버릇이 있었다.

그 시절을 떠올리며 그리움을 느끼다가 쿠와바라가 내 얼굴을 물끄러미 쳐다보고 있다는 것을 깨달았다.

"선생님도 고등학교 때 여자 친구가 있었어요?"

"……응. 있었지."

내 대답에 쿠와바라의 얼굴이 호기심으로 반짝였다.

"오, 언제부터요?"

"2학년 때부터."

"3학년 때도 그 사람이랑?"

"응."

"수험 때도 계속 사귀었던 거예요?"

"응……."

"그랬구나~."

쿠와바라의 얼굴이 생기를 되찾았다. 솔직하고 올곧은 것이 그의 장점이다.

"그런데도 호오대에 붙었구나. 부모님한테 말해야지."

그런 그에게 나는 당부했다.

"그래도 이건 내 사례니까."

쿠와바라의 순수한 눈동자가 순간 쩍 얼어붙었다.

"여친이 생겨서 바보가 될지 똑똑해질지는 너한테 달렸어."

나는 루나와 사귀지 않았다면 호오대에 들어가고 싶다는 분수도 모르는 꿈은 절대 꾸지 않았을 것이다.

무리하지 않고 그럭저럭 수험 공부를 해서 모의시험 결과를 보고 들어갈 만한 곳을 1지망으로 삼았으리라.

호오대는 고3 마지막 모의시험까지 E 판정*을 받았다. 세키야 씨의 조언대로 여러 학부에 응시했지만 합격할 수 있었던 건 문학부뿐이었다.

"똑똑해질 자신이 없으면, 부모님 말씀대로 헤어지는 편이 낫다고 생각해."

사람은 보통 이런 말을 들으면 반골 심리가 솟구치는 법이다. 내가 그래 봐서 안다.

아니나 다를까 쿠와바라는 순간 입술을 꾹 깨물더니 눈을 치떴다.

---

* 합격 가능성이 20% 이하라는 뜻.

"……열심히 공부할 거예요, 저."

나직히, 그러면서도 힘차게 다짐하는 그의 모습에 나는.

힘내, 소년.

속으로 응원을 보내며 수업을 재개했다.

　　　　◇

두 사람 분량의 지도 리포트 작성을 마치고 확인을 받으러 실장에
게 가져가자, 리포트에 도장을 찍은 뒤 실장이 말했다.

"카시마 선생님. 마키무라, 다음 주 수업이 마지막이에요."

"앗…… 네. 그렇군요."

입시가 그때쯤 끝나니 슬슬 마무리할 시기라고는 생각했다.

"카시마 선생님, 내년에도 지금이랑 같은 일정으로 문제없겠어
요?"

"음…… 아마도요. 시간표는 4월이 돼야 알 수 있겠지만요."

"혹시라도 취업 준비로 담당 수업 일수를 줄일 생각이면 일찍 말
해 주세요. 마키무라처럼 입시를 마치고 빠지는 애들이 있어서 2월
부터는 잠시 한산하겠지만, 적당해 보이는 학생이 들어오면 붙여 줄
테니까."

40대로 추정되는 덩치가 작은 남성 실장은, 말수는 적지만 해야

할 말은 담담히 전달해 줘서 좋았다.

"반대로 수업 일수를 늘릴 생각은 있나요?"

"……음~ 그건…….."

대답을 얼버무린 건 바빠질 예정이 있어서가 아니라 최근 학원 알바에 살짝 피곤함을 느끼고 있었기 때문이다.

나는 현재 평일 방과 후 4일과, 토요일 하루를 이곳에서 일하고 있다. 담당하는 학생은 10명 남짓. 마키무라 같은 수험생 그룹이 입시를 마치고 빠지면, 쿠와바라처럼 사립 진학계 학교의 현 고2 학생들만 4명이라 그들이 일제히 대학 수험 시험을 치르는 내년에는 지도 부담이 가중될 게 뻔했다.

"뭐, 억지로 강요하지는 않겠지만 카시마 선생님이 늘려 달라고 하시는 건 얼마든지 환영이니까요."

내 침묵을 어떻게 받아들였는지 실장님은 선뜻 이야기를 마무리했다. 늘 무표정한 얼굴에 웬일로 미소까지 짓고 있었다.

"……네."

직원이 눈치를 살펴 주는 강사로 자리매김한 건 감사한 일이었기에, 가볍게 목례한 뒤 자리에서 물러났다.

대기실로 향하자, 안에는 우미노 선생님이 있었다.

"수고 많으셨어요."

외투를 껴입은 모습으로 스마트폰에서 눈을 떼며 미소를 지어 왔다.

"아, 죄송해요. 오래 기다리셨나요?"

황급히 말하자 우미노 선생님이 웃으며 고개를 가로저었다.

"아뇨, 마침 돌아가기 전에 친구한테 답장을 보내려던 참이었으니까, 시간을 잘 맞춰서 오셨어요."

내가 신경을 쓰지 않도록 배려해 주고 있다는 것이 보여서 좋은 사람이라고 생각했다.

"괜찮으시면, 역까지 같이 가실래요?"

"……그러죠."

딱히 거절할 이유가 없어서, 나는 우미노 선생님과 함께 학원 건물을 뒤로했다.

"먼저 가 보겠습니다~."

"먼저 가 보겠습니다."

"……수고하셨습니다……."

접수대 건너편에 있던 실장이 같이 퇴근하는 우리를 보고 놀라 흘끔거렸다. 내가 다른 강사와 함께 돌아가는 게 어지간히도 뜻밖이었던 모양이다. 확실히 처음 있는 일이긴 하지만.

저녁 10시가 다 되어가는 역 앞 번화가는 가로등과 가게의 불빛 덕에 아직 환하게 밝았다.

우미노 선생님은 키가 작아서 내 어깨 정도에 머리가 왔다. 바로 오늘까지만 해도 얘기 한 번 해 본 적 없던 사람과 어깨를 나란히 한 채 길을 걷고 있자니 조금 신기한 기분이 들었다.

"메구미가 그러던데, 선생님은 호오대생이신가요?"

불쑥, 우미노 선생님이 그런 질문을 꺼냈다.

"네, 일단은요."

"오~, 멋진데요. 호오 보이시네요."

매번 듣는 소리지만 어떻게 반응해야 좋을지 알 수 없어 침묵하자 우미노 선생님이 의미심장한 얼굴로 나를 올려다보았다.

"그럼, 인기도 많으시겠네요?"

"아뇨, 전혀……."

나는 완전히 부정했다가, 생각을 바꿔 입을 열었다.

"……고등학교 때부터 사귀는 여친이 있어서요."

"아, 그러셨군요."

우미노 선생님은 순간 정색한 얼굴을 했지만, 금세 미소를 되찾았다.

"그럼, 장기 연애겠어요. 3년 정도 되셨어요?"

"맞아요. 3년 반…… 정도예요."

"굉장하다. 꾸준하시네요."

눈을 크게 뜬 뒤 우미노 선생님이 쓴웃음을 지었다.

"부럽다~. 저는 얼마 전에 남친이랑 헤어졌거든요."

"그러셨군요."

"마찬가지로 고등학교 때부터 사귄 사람인데, 대학의 같은 동아리 후배로 갈아타 버렸어요."

"하아……."

처음으로 대화를 나눈 사람의 지나치게 사적인 화제는 솔직히 어떻게 맞장구를 쳐야 할지 알 수 없었다.

그걸 눈치챘는지 우미노 선생님은 퍼뜩 놀라더니 얼버무리듯 어름어름 미소를 지었다.

"죄송해요. 곤란하시죠, 이런 얘기."

"아뇨……."

"그게, 카시마 선생님은 왠지 얘기하기 편해서요. 옛날부터 친하게 지낸 친구 같은 느낌이 들지 뭐예요."

"……."

아싸라서 그런가. 이쪽은 전혀 그럴 마음의 준비가 안 돼 있어서 당황스럽다. 그래도 여자 쪽에서 먼저 친근하게 대해 주는 건 살짝 기쁘긴 했다.

"그럼 토요일 회식 때 봬요. 카시마 선생님과 대화 나누는 거, 기대하고 있을게요."

역 앞 자전거 주차장에서 우미노 선생님은 그렇게 말하며 떠나갔다.

"……."

왠지 모를 기시감을 느끼며 멈춰 서 있는데 주머니 속의 스마트폰이 진동했다.

화면을 보자 그녀에게서 온 전화였다.

"여보세요."

부랴부랴 통화 버튼을 누르자 여러 번 들어서 익숙한 목소리가 귓가로 날아들었다.

"류토~오!"

"……루나."

너무나도 좋아하는 그녀의 목소리에 바깥이지만 저절로 미소가 새어 나왔다.

메시지가 오지 않아서 하루 종일 속으로만 앓던 것도 순식간에 아무래도 괜찮아졌다.

"정말 미안해! 오늘 도저히 연락할 시간이 안 나서~! 어젯밤에 권역 매니저분이 일이 끝나고 갑자기 술을 마시자고 하길래, 수면 부족이라 그런지 조금만 마셨는데도 현기증이 나서, 겨우 택시를 타고 돌아오긴 했지만 그대로 아침까지 세상 모르게 잠들어 버렸지 뭐야. 일어나니까 출근 시간 5분 전이길래, 깜짝 놀라서 마하의 속도로 샤워하고 준비하고 또 택시를 불러서 직장에 도착하기 전에 화장을 마치느라 스마트폰을 만질 새도 없었어."

루나는 고3 때 케이크 숍에서 일하면서 의류 매장 알바를 시작했다. 스타일이 좋은 데다 누구에게나 사교적인 루나는 금세 손님에게 좋은 평가를 받는 점원이 됐고 졸업 뒤에는, 그대로 해당 회사에 취직했다.

현재는 신주쿠 패션 빌딩에 입점한 매장에서 부점장으로 일하고 있다.

루나의 노도와 같은 설명이 계속됐다.

"그래서, 오늘 출근했더니 또 세일 마지막 날이라 엄청 바빴지 뭐야. 1시간마다 타임 세일도 하는 바람에 손님도 피팅도 계산도 장난 아니었어. 하필 점장님은 쉬는 날이지, 알바생들한테 휴식 시간을 줬더니 나만 밥을 먹을 시간도 없어서, 정신을 차리니까 화장실도 8시간 정도 못 갔더라고. 진짜로 더 했다간 죽을 것 같다고 생각하면서, 겨우 영업을 마치고 마감도 끝내고 방금 퇴근한 참이야~!"

"그거…… 고생이 많았겠네."

그렇게 말하는 수밖에 없어서 노고를 치하하는 말을 건넸다.

하루 종일 스마트폰에만 촉각을 곤두세우고 있었던 만큼, 그녀가 정말 메시지를 보낼 단 몇 초의 시간도 낼 수 없었던 건지 의문스러운 생각도 들었지만, 대학생과 사회인은 흐르는 시간의 속도가 다른 걸 거라고 믿기로 했다.

그것 말고도 나에게는 한 가지, 마음에 걸리는 부분이 있었다.

"……그 권역 매니저란 사람, 분명 남자였지?"

전에도 몇 번인가 루나에게 그 직함명을 들은 적이 있다.

"맞아 맞아, 쉰 정도 되는 아저씨. 요식업계에서 이직해 와서 그런지 술자리를 엄청 좋아해. 툭하면 점장님과 부점장들을 모아서 회식을 가진다니까. 내가 스무 살이 되기 전부터 '생일이 되면 술 마시러 가는 거야!'라면서 예고를 때려댔어."

"응, 그런 얘기도 했었지……."

안 봐도 마오 씨처럼 투지 넘치는 인싸 아저씨겠지. 마오 씨는 그래도 외삼촌이니 상관없지만, 권역 매니저는 생판 남이라 아무리 아무렇지 않으려고 해도 속이 끓어올랐다.

"……그 사람이 같이 술 마시자고 하는 거, 거절하기 좀 곤란한 느낌이야?"

"음~……."

루나가 난감한 듯한 신음을 내질렀다.

"그게 뭐랄까, 요즘 좀, 나한테 특별히 하고 싶은 얘기가 있는 것 같더라고. 말을 걸어 오는 횟수가 늘고 있긴 해."

뭐라고?! 나는 당황했지만, 아싸라서 직접적으로 캐묻지는 못했다.

"……그, 그건, 일 얘기를 말하는 거겠지?"

"맞아 맞아. 단지 살짝 델리케이트한? 느낌이랄까?"

"……구체적으로는?"

"음~. 아직 조금 애매하니까. 내 마음을 탐색해 보는 것 같기도 하고."

"……?"

신경이 쓰인다……. 그게 뭐야……. 정말 일 얘기 맞아? 그냥 변태 아저씨가 아니라?! 막 불륜 하자고 유혹하는 건 아니겠지?! 괜찮은 거야? 루나?!

하지만 의류업계의 생리도 사회인의 세계도 모르는 나로서는 그 이상 루나에게 뭘 물어봐야 원하는 대답을 얻을 수 있을지 알 수 없었다.

"류토는? 오늘은 어땠어?"

"어? 으~음, 평범했어. 강의를 듣고, 알바하고…… 지금 돌아가는 중."

"그렇구나, 류토도 고생했어!"

그녀의 활기찬 목소리는 언제나 내 마음을 밝게 해 준다. 나보다 훨씬 더 피곤할 텐데도 어떻게 이런 발랄함을 유지할 수 있는 걸까.

"아~, 이제 집으로 돌아가면, 또 하루카랑 하루나를 돌봐줘야겠네!"

루나가 언급한 건 쌍둥이 여동생들의 이름이다.

"어제 내가 세상 모르게 자 버려서, 미스즈 씨 혼자 시달리느라 지쳐 있을 거야. 오늘밤엔 내가 보살펴 줘야지."

고등학교를 졸업하고 사회인이 된 6월, 루나에게는 쌍둥이 여동생이 생겼다. 아버지와 재혼 상대인 시라카와 미스즈—예전 성은 후쿠사토— 씨 사이에서 난 아이다.

루나는 고3 때 미스즈 씨와 화해했고, 그해 가을 미스즈 씨의 임신을 알게 된 것을 계기로 시라카와 가에서 함께 살기 시작했다.

미스즈 씨의 임신 과정은 별로 순탄하지 못해서, 마지막 몇 개월은 계속 누워 지내야만 하는 지경에 처하고 말았다. 루나는 일 때문에 바쁜 아버지 대신, 동거하는 할머니와 함께 미스즈 씨를 돌봐주는 한편 태어날 아기를 위한 준비로 바쁘게 뛰어다녔다.

그리고 아기가 무사히 태어나고 나서는 아무리 일로 지쳐 있어도 집으로 돌아오면 분유를 먹이거나 기저귀를 갈아 주는 등 꼭 제2의 엄마처럼 적극적으로 육아에 동참했다.

"그럼, 슬슬 전철이 도착할 시간이니까 끊을게!"

"응, 피곤한데도 전화해 줘서 고마워."

확실히 플랫폼에 도착한 듯한 전철의 주행음과 안내 방송이 들렸다.

　루나와 통화를 마친 나는 밤길을 걸으며 하늘을 올려다보았다.

　실낱같은 초승달이 낮은 하늘에 걸려 있다.

　"……루나."

　이름을 속삭였더니 공연히 그 미소가 보고 싶어져서, 가슴이 조금 답답해졌다.

　　　　　◇

　예전에 세키야 씨에게 들었던 말이 요사이 자꾸 떠오른다.

　—고교 시절의 시간은 그 뒤랑은 밀도가 달라. 정말 귀하고 특별해.

　그때는 학교에 가면 당연하다는 듯이 루나를 볼 수 있었다.

　잇치와 닛시가 있었다.

　내가 좋아하는 사람들이, 늘 같은 공간에 모여 있었다.

　일부러 약속을 하지 않아도 매일, 당연하게 만나서 얘기하고 마주 웃을 수 있었다.

　그것이 얼마나 특별한 일이었는지.

　이 순간, 아플 만큼, 실감하고 있다.

"카시마 선생님, 왜 그러세요?"

멍하니 멜론 소다를 마시고 있는데 우미노 선생님이 말을 걸어 왔다.

토요일, 담당 수업을 전부 마친 뒤 나는 강사 회식에 참가했다.

학원 근처에도 술집은 잔뜩 있건만 굳이 역에서 살짝 떨어진 방향에 있는 선술집을 개최 장소로 삼은 건, 학생과 학부모를 배려해서인 것 같다.

어슴푸레한, 차분한 분위기의 가게 내부는 대학생들이 야단법석을 떨 만한 곳이 아닌 게 명백해서, 도를 지나치지 않도록 조심하라는 간사의 배려가 느껴졌다.

"아무것도…… 잠시 생각에 잠겨 있었어요."

내가 대답하자 우미노 선생님은 "그러시군요." 하고는 미소 지었다. 참 잘 웃는 사람이라고 생각했다.

"여기에 앉아도 될까요?"

"아, 네."

"실례할게요."

우미노 선생님이 내 옆에 앉았다.

연회석은 긴 테이블에 벤치식 의자로 되어 있었다.

참석한 강사는 현재까지 10명 정도. 회식이 오후 7시부터 시작이라 나는 퇴근하고 참석하기 딱 좋은 시간이었지만, 다음 수업을 마치고 나서 참석하는 사람도 있다는 모양이다.

얼굴은 알고 있어도 얘기를 나눠 본 적 없는 강사가 대부분이라

건배하고 나서 한동안은 주변 분위기에 맞춰 무난한 대화를 나눴지만, 사람들이 하나둘 잔을 들고 친하게 지내는 사람들 쪽으로 이동해 가면서 처음 참석하는 내 주위에는 아까부터 빈자리가 나 있었다. 괴롭다.

"그러고 보니 오늘 중간에 비는 시간이 있어서 새로 담당할 아이의 수업 준비를 하고 있었는데요."

가져온 음료를 한 모금 마신 뒤 우미노 선생님이 말했다. 손잡이 달린 맥주잔과 유사한 디자인으로 봐서는 하이볼인가 하는 것 같았다. 우미노 선생님에게서 은은하게 술 향기가 났다.

"저, 이번에 고1 학생의 영어를 가르치게 됐거든요. 그래서 영어 단어장을 고르다가, 괜찮아 보이는 게 있어서 주임님께 말했더니 '그거, 카시마 선생님이 비치해 달라고 가져온 거예요.'라고 하시지 뭐예요."

"아아…… 그거요."

지금도 쓰고 있어서 금세 기억을 끄집어낼 수 있었다.

"제가 가르치고 있는 쿠와바라라는 아이가 단어 암기에 유독 약한데, 학원에 쓸 만한 교재가 없더라고요. 서점을 돌아보면서 이것저것 뒤적이다가 교재로 적당할 것 같아서 고른 거예요. 그래서 주임님께 들여놔 달라고 요청했죠."

"그러셨군요. 열정적이시네요."

"아뇨……. 제가 그렇게 뛰어난 편이 아니었던지라, 타고난 머리는 좋은데 공부 요령을 몰라서 손해를 보는 아이를 보면 아깝더라고요. 근무 시간 외에도 어떻게 해 줘야 좋을지 이런저런 고민을 하게 돼서."

"굉장하다~, 저는 그렇게까지는 못 하겠어요. 카시마 선생님은, 교육자의 자질이 있으시네요."

우미노 선생님이 감탄한 기색으로 말한 순간, 뇌리에 목소리가 울려 퍼졌다.

—카시마는 선생님이 적성에 맞을 것 같아.

사랑스러운 달콤하고 높은 목소리. 다정한 미소도 떠오른다.

"……예전에, 어떤 사람한테 그런 말을 들은 적이 있었어요."

쿠로세.

맞아…….

이제 보니 그 말이 나를 이끌어 주고 있었구나.

"방금 생각난 건데…… 이 알바를 선택한 것도 어쩌면 그 사람의 말이 뇌리에 남아 있었기 때문일지도 모르겠네요."

우미노 선생님은 고개를 끄덕이며 묵묵히 내 말을 들어 주었다.

"……하지만, 실제로 학원 강사 일을 하다 보니 정말로 선생님이 적성에 맞는 건지 알 수 없게 됐어요."

쿠로세와 같은 말을 해 줬기 때문일까. 나는 우미노 선생님에게 그런 속내를 털어놓고 말았다.

"요즘 좀 지치기도 했고요."

마시고 있는 건 멜론 소다라 취했다는 변명도 할 수 없다.

"대학에서도 일단 교직 과정용으로 강의를 이수하고 있지만……
솔직히, 저 같은 사람은 선생님 같은 직업을 갖지 않는 편이 나을지
도 모르겠다는 생각이 들어서요. 자신의 마음을 지키기 위해서라
도……."

"우미노 선생님~!"

그때, 테이블 맞은편에서 간사인 이모토 선생님이 이쪽을 향해 고
함을 질렀다.

이모토 선생님은 아마 나보다 연상일 것이다. 내가 처음 일을 시
작했을 때부터 이미 경력자 포스를 뿜어고 있었으니 3학년이나 4학
년, 어쩌면 대학원생일지도 모른다. 키가 크고 호리호리해서 인상이
약간 오타쿠 같긴 하지만 밝은 남자 강사로, 학생들에게도 인기가
많았다.

"마루야마 선생님이 합창 동아리에 들어 있대요! 얘기가 잘 통하
지 않을까요?"

"엇, 정말요?"

우미노 선생님이 유리잔을 들고 자리에서 일어났다.

"카시마 선생님 죄송해요. 얘기 도중에……."

"아뇨, 괜찮아요."

떠나가는 우미노 선생님을 보며, 우미노 선생님도 합창 동아리에
들어 있을까 생각했다.

나는 우미노 선생님에 대해 아무것도 모른다. 어느 대학인지조차

도.

알고 싶은 마음도 들지 않았다.

그런 생각을 하며, 얼음이 녹아 많이 싱거워진 멜론 소다를 입에 삼켰다.

그런 어색한 상황이었기에, 나는 결국 1차 회식이 끝날 때까지 그 자리에 있었다. '돌아간다'고 말해서 일시적으로라도 주목을 끌 용기가 없었기 때문이다.

"2차 갈 사람~!"

가게 쪽 보행로에 붙어서 이모토 선생님이 큰소리로 고함을 질렀다. 많이 취했는지 붉은 얼굴을 하고서 발밑을 휘청이고 있었다.

시각은 벌써 밤 10시 반이었지만, 나처럼 동네에 사는 선생님이 많은 듯 막차를 신경 쓰는 사람은 없어 보였다. 내일은 일요일이라 학원 수업은 기본적으로 없었다.

"자~, 그럼 다음 가게로 이동하겠습니다~."

내가 2차에 갈 건지 말 건지 신경 쓰는 사람도 없다. 이대로 기척을 지우고 돌아가자……. 그렇게 생각하며 역을 향해 막 걸음을 뗐을 때였다.

"카시마 선생님."

등 뒤에서 소리가 나더니 어깨 부근에 머리가 나란히 섰다.

우미노 선생님이다.

"집으로 돌아가시려고요?"

"엇, 네⋯⋯."

"저도 돌아갈 건데. 중간까지 같이 가요."

"⋯⋯그러시군요⋯⋯."

돌아가려는 사람이 더 없나 살펴봤지만, 역 쪽으로 걷고 있는 건 우리들뿐이었다.

"⋯⋯안 가세요? 2차."

나와는 달리 우미노 선생님은 사람들과 두루 친하게 지내는 것 같던데.

"괜찮아요. 월요일에 제출해야 하는 리포트가 있어서, 오늘은 너무 늦게까지 남고 싶지 않네요."

"그렇군요."

"카시마 선생님하고도 별로 얘기를 나누지 못했고요. 제가 같이 가자고 말을 걸었는데."

역시 그걸 신경 쓰고 있었구나. 착실한 사람이라고 생각했다.

"오늘 회식은 즐거우셨어요?"

"으음, 글쎄요⋯⋯."

거짓말을 하고 싶지는 않았기에 나는 말을 골랐다.

"⋯⋯술을 마실 수 있었다면 좀 더 재미있었을지도 모르겠어요."

"아~, 그런 게 좀 있죠. 죄송해요. 생일이 몇 월이세요?"

"3월요. 말에 가까워요."

"꽤 늦네요. 그럼 다다음 달 회식부터 또 와 주세요."

"하하⋯⋯."

누가 봐도 가식적으로 웃는 티를 내고 말았다. 기껏 처음 술을 마실 거면 좀 더 즐거운 자리가 좋겠다고 생각했다.

그런 식으로 별것 없는 잡담을 나누며 역 앞까지 왔지만, 그 앞의 자전거 주차장을 지났는데도 우미노 선생님은 내 옆을 떠나려 하지 않았다.

"……오늘은 자전거를 타고 돌아가지 않으세요?"

신경이 쓰여서 물어보자, 우미노 선생님이 고개를 끄덕였다.

"네. 술을 마시는 자리라서 도보로 왔어요."

"앗……."

그래서였구나. 자전거로도 음주 운전이 성립되던가?

"댁이 이 근처세요?"

"아뇨, 역에서 도보로 15분 정도……."

하긴, 가까웠다면 자전거를 타지 않았겠지.

"걸어서 돌아가시려고요?"

내가 묻자 우미노 선생님이 시선을 사방으로 굴렸다.

"그렇겠죠……. 제 가족은 일찍 자서 데리러 와달라고 부탁할 수도 없으니까요."

"……늘 걸어서 돌아가시는 거예요?"

"회식 때는 대체로 2차까지 참석해서 이모토 선생님이 집으로 바래다주셨어요. 같은 방향이거든요."

"……그러시군요……."

어쩐지 바래다줘야 할 것 같은 분위기가 형성되기 시작해서, 나는 당황했다.

고2 때 일이 떠올랐다.

내가 쿠로세와 친구를 그만둔 날.

나는 쿠로세와 중간까지 같이 돌아가다가 헤어졌다.

그 직후 쿠로세는 인기척 없는 신사에서 치한에게 습격당했다.

"……택시를 타고 가는 게 어때요? 밤에 여자 혼자 걷는 건 위험하잖아요."

내가 말하자 우미노 선생님은 난처한 듯한 표정을 지었다.

"……월급날 전이라, 돈이 부족해요. 오늘은 1차 회비밖에 못 가져왔어요. 스마트폰에도 잔금이 없어서……."

그럴 수도 있나? 도보로 15분이면 기본요금으로 충분한 거리니까 심야 할증이 붙는다고 해 봤자 천 엔도 안 될 텐데.

아니면 그녀는 내가 집까지 바래다주게 하려고, 이런 방법을 쓰고 있는 걸까? 그렇다면, 이유가 뭐지?

―역시 호오대 이름값은 무시 못 한다니까. 호오 보이라는 것만으로도 여자들 눈빛이 돌변하거든.

경박한 호오대생의 발언이 다시 떠올라 흠칫했다.

―메구미가 그러던데, 선생님은 호오대생이신가요?

우미노 선생님의 말도 떠올랐다.

─오~, 멋진데요. 호오 보이시네요.
─저는 얼마 전에 남친이랑 헤어졌거든요.

그러고 보니 그런 말도 했었다.

"……."

아니, 역시 너무 나갔다.

우미노 선생님처럼 느낌이 좋은 사람이라면, 굳이 나 같이 음침한 아싸를 노리지 않더라도 남자 친구 후보가 얼마든지 있을 테니까.

"괜찮아요, 걸어서 돌아갈게요. 근처에 옥외등이 없는 널찍한 공원이 있어서 거길 지나갈 때 조금 무섭긴 하지만, 거기만 제외하면 안전하니까요."

우미노 선생님은 그렇게 말하며 웃었다.

"……."

내 고등학교 시절은 지금 돌이켜보면 반짝이며 빛나고 있었다.

하지만 그런 고교 시절에 단 하나 후회가 남는다면.

그건 쿠로세와 관련된 일이었다.

그때, 쿠로세에게 해 줬어야 했던 일.

해 주지 않았던 바람에 지금도 마음 한구석에 줄곧 후회로 남아 있는 일.

그 당시 나는 돈도 없고 미숙하고 여자에도 전혀 익숙하지 않아서, 어떻게 행동하는 게 정답인지 몰랐다.

우미노 선생님은 쿠로세가 아니다.

내가 이런 일을 하는 것이 쿠로세에게 속죄가 되리라고는 생각하지 않는다.

그래도 쿠로세에게 해 주지 못했던 일을 이 사람에게는 해 주고 싶었다.

"택시, 타고 가세요."

역 앞 택시 승차장까지 걸어와 말하자 우미노 선생님의 표정에서 당혹감이 짙어졌다.

"하지만 전 정말 지금 돈이…… 걸어서 돌아가면 공짜니까요."

"이걸 쓰세요."

나는 지갑에서 천 엔을 꺼내 우미노 선생님에게 건네려고 했다.

"하지만 돈이 없어서 나중에 돌려드릴 수도 없어요."

"돌려주지 않으셔도 되니까. 걱정이 돼서 그래요."

우미노 선생님이 돈을 받으려고 하지 않아서 그녀가 어깨에 걸치고 있던 가방 안에 천 엔을 찔러넣었다.

그때도 나는 쿠로세에게 이렇게 했어야 했다.

어설프게 중간에 내버리고 오는 게 아니라.

하지만 설마 그런 곳에서 쿠로세가 치한과 마주칠 줄은 꿈에도 몰랐다.

여성에게는 그런 위험이 있다는 걸 머리로는 알고 있었지만, 마음으로는 온전히 이해하지 못하고 있었던 걸지도 모르겠다.

그렇다고 해도 나에게 마음이 있을지도 모르는 여자를 단둘이 집으로 바래다주는 건 역시 옳지 못하다고 생각한다.

내가 내 눈으로 무사한 모습을 끝까지 확인하고 싶은 사람은, 좋아하는 여자 친구…… 루나뿐이니까.

그러니 이것밖에 달리 방법이 없었다.

"그래도……."

우미노 선생님은 여전히 망설이고 있었다.

"저를 위해서라 생각하시고 이 돈으로 택시를 잡아타세요. 부탁드릴게요."

내 험악한 얼굴을 보고 겁을 먹었는지 우미노 선생님은 택시 승차장으로 한 걸음 다가갔다.

운전사가 문을 열자 우미노 선생님은 하는 수 없다는 기색으로 뒷좌석에 앉았다.

나는 택시 안으로 살짝 고개를 들이밀며 그런 그녀를 향해 말했다.

"정말 돌려주시지 않아도 되니까요. 마음에 두지 마세요. 우미노 선생님이 무사히 돌아가시면 그걸로 충분해요."

"……."

우미노 선생님은 아무런 대답 없이 껄끄러운 얼굴로 나를 보고 있었다.

내가 택시에서 한 걸음 떨어지자 문이 닫혔다.

안에서는 우미노 선생님이 운전사에게 무어라 말하고 있었다.

잠시 후 승차장을 떠난 택시가 로터리를 신속하게 빠져나갔다.

그러자 뒤편에 정차해 있던 택시가 승차장으로 들어오더니 다가 온 취객을 삼키고는 떠났다.

신년회 시즌이라 그런지 토요일 심야의 역 앞에는 걸음을 휘청이 는 성인이 여럿 있었다. 누군가와 무리를 지어 있는 사람들이 하나 같이 아주 신이 난 얼굴로 크게 소리를 지르고 있다.

"……."

제정신인 나는 그 광경을 잠시 바라본 뒤 홀로 조용히 집으로 가 는 길을 나아가기 시작했다.

◇

"카시마 선생님, 여기요."

다음 주, 대학 수업을 마치고 돌아오는 길에 학원에 출근하자 대 기실에 우미노 선생님이 있었다.

우미노 선생님이 나에게 뭔가를 내밀었다.

자세히 보자 그것은 예쁜 꽃무늬가 그려진 돈봉투였다.

"저번에 빌린 천 엔이요. 감사했어요."

"엇…… 아, 별말씀을요."

돈이 없어서 돌려줄 수 없다고 하지 않았던가. 나는 망설이면서 도 엉겁결에 봉투를 받아 들고 말았다.

"오늘이 메구미랑 하는 마지막 수업이죠. 메구미가 아쉽다고 어제도 한탄했어요."

우미노 선생님은 아무 일도 없었던 것처럼 말을 걸어 왔다. 여전히 느낌이 괜찮은 사람이라는 생각이 들었다.

"그럼, 또 봬요."

아직 준비가 되지 않은 나를 남겨둔 채 우미노 선생님이 대기실 문에 손을 걸쳤다.

그러고는 생각을 바꾼 것처럼 다시 내 쪽으로 돌아섰다.

"……선생님의 여자 친구가 부럽네요. 선생님처럼 성실한 남성에게 계속 소중히 아낌을 받을 수 있어서요."

살짝 고개를 숙인 채 쑥스러운 듯 미소를 지은 우미노 선생님은 그렇게 말하고는 나를 올려다보았다.

"행복하시길 바랄게요. ……쓸데없는 참견일지도 모르겠지만요."

마지막으로 장난기 어린 미소를 지어 보이며, 우미노 선생님은 이번에야말로 대기실을 떠나갔다.

마키무라는 마지막 수업에서도 여전히 냉담하게 나를 대했다.

그리고 2주 뒤, 강사 대기실에서 '우미노 선생님과 이모토 선생님이 사귀기 시작했다'고 강사들끼리 수군거리는 소리가 귀에 들어왔다.

◇

　—선생님의 여자 친구가 부럽네요. 선생님처럼 성실한 남성에게 계속 소중히 아낌을 받을 수 있어서요.

　과연 나는 정말로 루나를 소중히 아끼고 있다고 말할 수 있을까.

　왜냐하면, 달력이 2월로 접어든 이 시점에도 올해 들어 한 번도 루나를 만난 적이 없기 때문이다.

　정월 휴일에는 내 알바가 동기 강습으로 수험생들의 수업이 아침부터 밤까지 꽉 들어차 있었다.

　루나의 휴일은 대부분 평일이었기에, 평일에 강의가 있는 나는 학기가 시작되자 일정을 잘 조정하기가 쉽지 않았다.

　게다가 루나는 낮에는 일을 하고 밤에는 여동생들을 보살피느라요 1년 반 동안 거의 만성 수면 부족에 시달리고 있었다. 일을 쉬는 날에도 여동생들을 어린이집으로 데려다주고 데리고 오는 것이며 대량의 기저귀에 이름을 쓰고 이유식 사러 가는 등 바쁜 일정을 보내고 있다.

　상황이 이렇게 될 줄 알았으면 역시 졸업 후에 본가를 나와 혼자서 자취를 시작하는 게 낫지 않았을까 하는 생각도 들었지만, 늦둥이 여동생들이 어지간히도 귀여운지 본인은 불평 하나 없이 매일 활기차게 지내고 있다.

그렇게 바쁘게 지내고 있는 루나에게서, 느닷없이 전화가 걸려 왔다.

토요일 밤, 내가 알바를 마치고 귀가한 뒤 저녁 식사를 하고 방으로 돌아온 밤 9시쯤이었다.

"여보세요?"

마음이 급해져서 목소리가 높아진 것을 제 귀로도 알 수 있었다.

하지만 다음 순간, 사고가 정지되었다.

"카시마? 오랜만이야."

"……?!"

놀라서 스마트폰을 귀에서 떼고 발신자를 확인했다. 틀림없이 루나에게서 온 전화였다.

"……쿠, 쿠로세?"

"갑자기 전화해서 미안. 오늘 시라카와 가에 와 있어. 루나가 스마트폰을 써도 된다고 해서 전화했고. 내가, 카시마의 연락처를 몰라서."

그렇게 말하는 목소리는 어린아이가 고함을 지르는 소리와 TV에서 흘러나오는 어린이 방송의 소리에 뒤섞여 매우 알아듣기 힘들었다. 그 사이로 루나의 '이제 그만 자자, 하루나! 하루카가 깨 버리잖아!'라는 목소리도 들려왔다.

시라카와 가에 있다는 말은 틀림없는 사실인 모양이다.

"……무, 무슨 일이라도 있었어?"

수화기 건너편이 시끄러워서, 이쪽의 목소리도 덩달아 커졌다.

"그게, 카시마. 내가 지금 이이다바시 서점 만화 편집부에서 알바를 하고 있거든."

"아아…… 루나한테 들었어. 대단한걸."

이이다바시 서점이라고 하면 일반인이라도 누구나 알고 있는 대형 출판사다.

"대단하진 않아, 인맥으로 잡은 일자리니까."

쿠로세는 자조하듯 웃었다.

쿠로세는 릿슈인 대학 2학년이다. 소속은 문학부 국문학과로, 휴일에는 자주 책을 읽으며 편집자의 꿈을 향해 차근차근 준비를 해 나가고 있다고 들었다.

"마오 외삼촌을 통해 추천으로 들어갔지."

"아, 마오 씨……."

그러고 보니 그 사람의 직업이 '여행작가'라고 했던가. 주로 웹상에서 집필 활동을 하지만, 종이책도 해마다 한 권씩은 내는 모양이니 당연히 출판사와도 인연이 있을 것이었다.

"그런데, 요즘 나 말고 다른 알바생들이 연달아 일을 그만둬 버렸어."

쿠로세의 목소리 톤이 낮아졌다.

"다들 편집자를 동경해서 응모하지만 알바생에게 주어지는 업무는 누구나 할 수 있는 잡일뿐이잖아. 모티베이션이 이어지지 않는 것 같아."

"그렇구나."

"하지만 그런 잡일이라도 할 일은 산더미니까 남은 내 업무 부담이 커지고 있어. 모집을 한다고 해도 그렇게 갑자기 사람을 구하긴 어려울 테고. 직원한테 '아는 사람이 있으면 소개해 줘도 된다'는 말을 들었지만, 내가 아는 사람 중에 대형 출판사에서 일할 수 있을 만큼 우수한 학생이면서 절대 무책임하게 그만두지 않을 만한 사람은 카시마밖에 떠오르지 않더라고."

"엥?"

급전개에 저도 모르게 숨을 삼켰다.

"루나한테 의논했더니 '부탁해 보지 그래? 류토라면 해 줄지도 몰라.'라고 해서, 스마트폰을 빌려서 전화를 건 참이야."

여전히 루나의 성대모사는 아주 비슷하게 잘했다.

"어때? 편집부 알바에 관심 없어? 운이 좋으면 유명한 만화가를 보거나 발매 전 인기 만화 원고를 읽을 수도 있어."

"……."

어떻고 자시고 간에, 여태껏 생각해 본 적도 없었던 세상의 얘기가 나오는 바람에 나는 잠시 머리가 멍해졌다.

그래도.

마음 한구석으로는 그런 생각이 들었다.

지금의 이 막막함에서 나를 구해내 줄 것은, 바로 이런 변화가 아닐까 하고.

"……어, 때?"

쿠로세가 재차 조심스레 질문해 왔다.

"……그, 러게. 한번 해 볼까?"

"뭐?!"

먼저 제안했으면서 쿠로세는 놀라고 있었다.

"해…… 줄 거야……?"

"있지, 마리아! 거기 기저귀 좀 주워 줄래~?!"

그때, 루나의 목소리가 포개졌다.

"류토가 해 주겠대? 잘됐네!"

그 목소리를 듣자 어쩐지 안심이 되었다.

─하지만 그 상대가 마리면…… 나도 그냥 넘어갈 수 없어.

일찍이 나에게 그렇게 말했던 그녀의 옆얼굴을 지금도 기억하고 있다.

하지만 지금은 그때와는 다르다.

내가 쿠로세와 같은 아르바이트를 해도 개의치 않을 만큼 나를 믿어 주고 있다는 뜻이다.

물론 쿠로세도.

나의 단 한 가지 후회, 쿠로세.

친구를 그만둔 그날로부터 3년 하고도 수개월이 지났을 때쯤 난데없이 걸려 온 전화.

그녀와 맺게 된 이 새로운 관계가 내 지루한 대학 생활을 격동적으로 바꿔 갈 것임을, 이때의 나는 이미 어렴풋하게 예감하고 있었다.

제 2 장

"이거~, 미안해, 카시마. 첫날부터 대뜸 일을 시켜서."

저녁 무렵의 편집부에서 지시받은 일을 완료했음을 보고한 내게, 직원 후지나미 씨가 웃는 얼굴로 말했다.

쿠로세의 소개로 이이다바시 서점 만화잡지 편집부를 찾아온 나는 가벼운 면담 뒤 사무적인 절차를 밟고 바로 알바생으로 일하게 됐다.

후지나미 씨는 20대 후반쯤 되는 남자 직원으로, 담당 작가를 몇 명이나 거느린 매우 바쁜 편집자라고 했다. 보통 몸집 보통 키에 크게 인상적이지 않은 온화한 외모를 갖고 있는 데다 붙임성도 좋아서 나 같은 아싸도 다행히 위축되지 않을 수 있었다.

"쿠로세가 '성실하고 우수한 사람'이라고 말하길래 그렇겠거니 생각은 했는데, 기대 이상이었어."

"아뇨, 딱히 머리를 쓰는 일도 아닌데요…….."

겸손을 차릴 생각으로 말했다가, 맡은 일을 바보 취급하는 것처럼 들렸으면 어쩌나 당황했다.

하지만 후지나미 씨는 그런 건 전혀 개의치 않는 기색으로 부드럽게 웃고 있었다.

"아니, 언뜻 보기엔 머리를 쓰지 않는 누구나 할 수 있는 일 같아

도 말이지. 머리가 좋은 애들은 작업 효율이 남다르니까 딱 보면 알
수 있어."

"……하아…… 감사합니다."

오히려 칭찬을 듣고 말았다. 그야말로 어른이다 싶어 황송한 마
음에 목이 움츠러들었다.

"수고 많았어. 그만 퇴근해도 돼. 쿠로세도 조금 이르긴 하지만
오늘은 이제 충분하니까 같이 돌아가지 그래?"

맞은편 책상에서 자료 정리 비슷한 작업을 하고 있던 쿠로세가 후
지나미 씨의 말에 손을 멈췄다.

"네, 감사합니다."

그리하여 우리들은 함께 집으로 돌아가게 되었다.

시각은 오후 7시.

평소 같았으면 학원 알바가 있는 수요일이었지만, 수요일의 담당
학생은 모두 수험생이었기에 2월부터는 강의 일정이 없었다. 대학
은 이미 봄방학 기간이었기에, 지정 시간인 오후 2시에 집에서 편집
부로 갔다.

사옥 창문을 통해 본 풍경으로 짐작하고 있었지만, 밖은 이미 완
연한 어둠에 잠겨 있었다.

"카시마, 배고프지 않아?"

역 앞 근처까지 갔을 때 쿠로세가 말했다.

"……아, 응. 뭐."

순간 망설였지만, 2시간쯤 전부터 배가 조금 고팠던 건 사실이었기에 거짓말은 할 수 없었다.

쿠로세는 그런 나를 올려다보더니 입 끝을 씩 올렸다.

"괜찮으면 한 잔 하고 가지 않을래?"

그렇게 말하며 웃는 쿠로세는 어느새 성인 여성의 얼굴을 하고 있었다.

◇

"아, 그렇구나. 카시마는 아직 열아홉이지."

가게 입구에 걸린 포렴을 지나 자리에 앉은 뒤 쿠로세가 말했다. 내가 '술은 못 마신다'고 신고했기 때문이다.

"내가 생각도 없이 선술집에 데리고 와 버렸네. 미안."

"아냐, 괜찮아. 신경 쓰지 말고 혼자서 마셔."

확실히 벌써 2월이라, 거의 대부분의 동급생은 음주가 가능한 나이가 됐을 것이다. 내가 루나 외에 자주 식사를 하러 가는 사람은 쿠지바야시 정도지만, 그는 술을 못 마셔서 최근까지도 그 부분은 별로 의식하지 않았다.

"응. 그럼 사양하지 않고."

쿠로세는 테이블 위의 메뉴판을 슬쩍 훑어본 뒤 점원을 향해 손을 들었다.

"생맥 하나요. ……카시마는? 정했어?"

"그게, 아…… 콜라 있나요"

"네. 생맥 하나랑 콜라 하나 말씀이시죠."

점원이 떠나간 뒤 나는 재차 가게 안을 둘러보았다.

아담하고 밝은 일본풍 가게 안은 정식집과 선술집의 중간에 위치한 듯한 분위기였다. 벽에 붙어진 메뉴가 적힌 종이를 봐도 저렴한 메뉴가 많아서 일을 마치고 퇴근하는 남성들의 휴식처라는 느낌이 들었다.

"여기 생맥 하나, 콜라 하나 나왔습니다."

주문을 받은 사람과 다른 점원이 와서 내 눈앞에 하얀 거품이 몽글거리는 맥주잔을 내려놓았다.

"뭐, 보통은 이렇게 생각하겠지."

맞은편에 앉은 쿠로세가 쓴웃음을 지으며 자신 쪽에 놓인 콜라잔과 교환해 주었다.

"카시마의 첫 출근에 건배!"

쿠로세가 해맑게 말하며 내 유리잔에 자신의 맥주잔을 부딪쳤다.

"건배."

나는 콜라를 한 모금 마신 뒤 테이블에 내려놓았다.

쿠로세는 맥주잔을 입에 대더니 휙 각도를 세워 흰 거품을 전부 빨아들일 기세로 꿀꺽꿀꺽 목을 울렸다.

"……푸하앗! 알바 후의 맥주는 최고야."

입술 위쪽에 묻은 흰 거품을 날름 핥으며 쿠로세가 맥주잔을 내려놓았다. 살짝 찌푸리며 웃는 얼굴에서, 매우 술을 좋아한다는 느낌이 들었다.

"……맥주를 좋아해?"

"응. 그래도 술이라면 뭐든 좋아해. 소주는 좀 별로일지도."

"그렇구나……."

고등학교 시절의 청초한 분위기만 뇌리에 남아 있던 입장에서는 상상도 하지 못했던 모습이다. 너무나도 의외라 무슨 말을 해야 할지 생각이 나지 않았다.

"내가 의외로 술에 강한 것 같더라고. 루나는 약해서 같이 마시면 대체로 금세 뻗어 버려."

"……그렇구나."

루나는 나와 함께 식사를 할 때는 나에게 맞춰서 논 알코올 음료를 시켰다. 본인도 술은 그다지 좋아하지 않는 기색이었지만, 쿠로세와는 평범하게 술을 마시는 모양이다.

정말로 성인 여성이 된 것 같아 낯설어진 쿠로세에게서 내가 모르는 루나의 얘기를 듣자 19살의 나는 혼자 남겨진 기분이 들었다.

"……그래도 루나가 약한 건 늘 피곤하기 때문일지도 몰라."

불현듯 쿠로세가 먼 곳을 보며 말했다.

"정말 열심히 살고 있거든, 그 애. 지난번에 보면서도 생각했지만."

그것은 며칠 전 루나의 스마트폰으로 전화를 걸어 왔을 때를 말하는 것이리라.

"미즈즈 씨, 아직 완전히 괜찮아진 건 아닌 것 같아. 지금도 병원에서 약을 타 먹고 있대."

"……뭐?"

무슨 얘긴지 알 수가 없어서, 쿠로세를 빤히 쳐다보았다.

그런 나에게 쿠로세가 의아한 눈빛을 보냈다.

"……루나한테 못 들었어? 미스즈 씨의 '산후 우울증' 얘기."

뭐야, 그건…… 하고 숨을 삼키는 내게, 쿠로세가 설명했다.

미스즈 씨는 불임 치료 끝에 고생해서 임신했지만, 절박 조산 증상 때문에 계속 침대에 누워 생활하다 갑자기 쌍둥이의 어머니가 되었다. 배에 난 상처도 채 낫지 않았는데 폭풍 같은 육아의 나날로 돌입하는 바람에 안 그래도 가혹한 신생아기의 고됨이 2배로 밀어닥쳤고, 모유가 나오지 않는 등의 체질 문제로 마음고생까지 하느라 정신적으로 완전히 녹초가 되고 말았다.

남편인 루나의 아버지는 일로 바빠서 집안일에는 거의 신경 쓰지 못했다.

시어머니인 루나의 할머니는 장보기와 빨래, 식사 시중 등은 해 줬지만, 조심스러워서 그런지 갓난아기를 보살피는 일에는 일절 관여하지 않았다.

미스즈 씨는 결혼하기 전까지 줄곧 관서 지방에서 살았기에, 근처에 힘이 돼 줄 부모 형제나 친구도 없었다.

그래서 조금이라도 미스즈 씨를 돕기 위해 루나가 여동생들의 육아를 적극적으로 떠맡게 됐다는, 그런 얘기였다.

"……그랬구나……."

"내가 얘기했다고는 말하지 마. 루나 딴에는 미스즈 씨의 사생활을 배려해서 말하지 않은 것 같으니까."

설명을 마친 쿠로세가 다시 벌컥 맥주잔을 기울였다.

"하지만 카시마는 그것 때문에 루나랑 전혀 만나지 못하고 있지? 왜 배다른 여동생을 그렇게까지 챙기나 싶을지도 모르겠지만, 사정이 그러니 이해해 줘."

"응……."

"다정하거든, 그 애."

눈을 가늘게 뜨며 그렇게 말한 쿠로세는 나와 눈을 마주치더니 친근함을 담아 미소 지었다.

"알고 있겠지만."

"……응……."

감개에 젖어 있는데 쿠로세가 뒤늦게 깨달았다는 듯이 입을 열었다.

"그렇지. 뭔가 먹을 거라도 주문하자."

메뉴판을 펼쳐 나에게 건넨다.

"좋아하는 걸로 시켜. 알바 선배로서 오늘은 내가 쏠 테니까."

그렇게 말하며 미소 짓는 쿠로세는 여태껏 본 적이 없을 만큼 자연스럽고도 아주 매력적인 성인 여성이었다.

◇

그리고 다음 주, 나는 한 사람과 식사를 하게 되었다.

"여, 야마다."

약속 장소인 이케부쿠로 앞에서 손을 들고 인사하는 세키야 씨를 보며 나는 저도 모르게 쓴웃음을 지었다.

"그 호칭도 오랜만이네요."

"왠지 말이야, 갑자기 네가 고등학생이었던 때가 생각이 나서."

세키야 씨와는 지금도 어찌어찌 몇 달에 한 번꼴로 만나서 식사를 하는 사이다.

"많이 컸구나, 너."

인공적인 빛으로 낮보다 환한 역 앞을 나란히 서서 걷기 시작하자, 세키야 씨는 내 쪽을 보며 눈을 가늘게 떴다.

"엥? 그런가요? 고2 이후로는 1센티밖에 안 자랐는데요."

세키야 씨와의 신장 차이는 그 무렵에 비해 줄어든 것 같지 않다.

"생각이 일차원적이네. 그런 뜻이 아니라, 그 뭐냐, 어른의 관록이 붙었달까? 역시 천하의 호오 보이는 달라."

"그게 뭐예요."

공교로운 말을 듣고 또 그거냐, 싶은 생각에 개인적으로 복잡한 기분이 들었다.

"알아. 지난 3년 동안 네가 성장한 거. 난 줄곧 변함없이 그대로니까. 눈이 부시달까."

세키야 씨는 올해도 수험 공부를 하고 있다. 야마나와의 관계도 3

년 전에 머물러 있다.

여자 친구와도 만날 시간이 없을 만큼 공부에 몰두하고 있는 그를 내가 불러내는 일은 없기에, 만나는 건 매번 세키야 씨의 타이밍이 맞을 때다. 이번 만남은 벌써 2월 중순이니 입시도 일단락된 참이리라.

"여친이랑은 요즘 어때? 그쪽은 아직도 바쁘대?"

예약 없이 들어간 고깃집의 테이블에서 맞은편에 앉은 세키야 씨가 질문했다.

점원이 다가와 불판에 불을 붙이고 간 뒤 아무렇지 않게 화제를 내 쪽으로 돌렸다.

"바쁘죠……. 솔직히 계속, 영원히 이 상태일 것 같아요."

"그게 뭐야. 내 장수생 생활이냐고. 전혀 웃을 일이 아니지만, 불길해."

자기 완결을 내며 세키야 씨가 혼자 웃었다.

"뭐, 여동생들을 보살피느라 고생하는 것뿐이라면, 아이들은 결국 자라니까."

설핏 웃으며 세키야 씨가 아련한 눈을 했다.

"……나도 적당히 단념하긴 해야겠지."

그렇게 혼잣말하는 얼굴에는 애수가 감돌고 있었다.

"계속 부모님 등골만 빨면서 공짜로 밥을 먹으며 학원을 다니고 있으니까……. 한 번에 4년제 대학에 붙은 동급생은 벌써 4월부터는 사회인인데 말이야."

내가 어떻게 맞장구를 쳐야 할지 몰라 쩔쩔매고 있자니, 세키야 씨가 눈을 들며 내게 웃어 보였다.

"이번까지만 하고 끝내려고. 그래서 올해는 의대랑 의학부가 아닌 곳에도 응시했어. 벌써 몇 군데는 합격 통지를 받았으니까 어떻게 대학생은 될 수 있을 것 같아."

"······의학부 쪽 결과는 아직 안 나온 건가요?"

그런 말을 하지 말았으면 좋겠다고 생각하며 물어보자, 세키야 씨는 자조 섞인 미소를 지었다.

"지금까지 결과가 나온 곳은 다 떨어졌어. 그래도 아직 시험을 치기 전인 곳도 있으니까."

"엥, 그런 중요한 시기에 저랑 이런 곳에 와도 되는 거예요?"

저도 모르게 놀라 소리를 지르자, 세키야 씨는 그런 나를 이상하다는 눈으로 쳐다보았다. 동시에 때마침 도착한 고기를 집게로 집어 석쇠에 가지런히 늘어놓았다.

"벌써 4년이나 공부만 했는데 수험 직전에 너랑 2시간 동안 고기를 먹는다고 떨어질 수준의 학력이면 어차피 어디에도 합격하지 못할걸."

"······."

확실히, 그건 그렇겠지만. 내가 말하는 건 기분 문제다.

"······이젠 지쳤어."

불현듯 세키야 씨가 앓는 소리를 하듯이 중얼거렸다. 테이블에 한쪽 팔꿈치를 짚더니 턱을 괴려고 했다기엔 지나칠 만큼 팔꿈치를 젖히고는 그 위에 얼굴을 얹었다.

"야마나가 보고 싶어."

그 말을 들은 순간.

문득.

세키야 씨는 이 속마음을 꺼내고 싶어서 나를 부른 게 아닐까 싶은 생각이 들었다.

"……여자는 참 부러워. 주저없이 먼저 '보고 싶다'고 말할 수 있어서."

석쇠 위의 고기를 무료하게 집게로 뒤집으며 세키야 씨가 불평하듯 웅얼거렸다.

"……남자도, 말하고 싶으면 말하면 되잖아요."

세키야 씨가 집게를 놀리던 손을 멈추고 나를 보았다.

"'보고 싶다'고, 먼저, 제대로 본인한테."

순간 흠칫 놀란 얼굴을 한 뒤, 세키야 씨가 나를 응시했다.

"……너는, 말할 수 있어?"

이번에는 내가 흠칫거릴 차례였다.

그런 내게 세키야 씨는 자조 같기도, 연민 같기도 한 눈길을 보내며 말했다.

"내일이, 2월 14일이잖아."

◇

3년 전 밸런타인데이 때는 루나에게 직접 만든 가토 쇼콜라를 받았다.

다음 해와, 그다음 해…… 작년에는 직접 만든 건 아니지만 몇 주나 전부터 데이트 약속을 해서 유명 브랜드의 초콜릿을 받았다.

그리고 올해.

루나는 14일의 일정을 물어보지 않았다.

심지어 오늘도 루나에게서 온 메시지는 없었다.

또 '권역 매니저' 때문일까?

사회에서 책임 있는 위치에서 일해 본 적 없고, 술도 못 마시고, 어른의 세계에 대해 아무것도 모르는 스스로가 답답했다.

─너는, 말할 수 있어?

밤, 내 방의 침대에 누워 스마트폰을 만지작거리고 있는데 세키야 씨가 한 말이 떠올랐다.

"……그래도 지금 말하면, 그냥 초콜릿이 갖고 싶어서 전화한 남자처럼 보일 텐데……."

고민에 고민을 거듭하며 루나와의 메시지 화면을 바라보면서 통화 버튼을 누를지 말지 망설이던 그때였다.

루나에게서 전화가 왔다. 타이밍이 기가 막혀서 순간 내가 발신 버튼을 눌렀나 착각했을 정도였다.

"루, 루나?!"

"류토~! 오늘도 미안! 어젯밤에 또 권역 매니저가 술을 마시자고 해서."

"……!"

역시 그랬던 건가…….

위가 꽉 눌린 듯 답답해졌지만, 3년 반을 사귄 남친으로서 여유로운 모습을 보여야 했다.

"류토오……."

그때, 루나의 목소리에 갑자기 애교가 서렸다.

"보고 싶어……."

어쩐지 불안한 목소리였다. 루나의 숨결에 떨리는 공기를, 지금이 순간, 스마트폰에 대고 누른 귀로 느끼고 있는 듯한 기분이 들었다.

아까 세키야 씨에게 들었던 말이 떠올라 가슴이 쓰렸다.

"……나도, 루나를 보고 싶어."

저도 모르게 중얼거리자 루나가 퍼뜩 숨을 삼켰다.

"진짜?"

"응. 너무너무 만나고 싶다고, 계속……매일 생각하고 있어."

루나는 사회인이니까.

나에게는 학생의 본분이 있으니까.

예전처럼 못 만나는 건 당연한 일이라고 스스로에게 되뇌며 어떻게 어떻게 하루하루를 보내고 있지만.

사실은 지금도 매일 루나의 웃는 얼굴을 보고 싶다.

평생 소중히 아끼겠다고 마음먹은 내 유일하고도 특별한 여성을.

"류토…….."

루나의 목소리가 떨리고 있었다.

그리고 그 뒤를 이어 단호한 음색이 들려왔다.

"그럼, 만나자. 결심했어. 내일 밤에 시간 돼?"

"어?! 괘, 괜찮겠어?"

기뻐해야 마땅할 말인데도 너무 갑작스러운 전개에 그만 당황했다.

"응. 어제 회식 자리에 우리 점장님도 같이 있었는데, '요즘 루나를 자주 소환해서 그런지 많이 힘들어 보이니까, 내일은 일찍 퇴근해도 된다'고 말해 주셨어."

"그, 그렇구나…….."

맞장구를 치며 권역 매니저와 둘만 마신 건 아니어서 다행이라고 안도했다. 점장님은 여성이었다.

"……그럼, 내일 만나는 걸 기대하고 있을게!"

약속 장소를 정한 뒤, 루나가 신이 난 목소리로 해맑게 말했다.

"응, 기대할게."

가슴을 두근거리며 전화를 끊고 나서.

머리 한구석으로 세키야 씨는 야마나와 과연 연락을 했을지 생각했다.

◇

오후 7시가 되기 전, 신주쿠 역 앞에서 나는 루나와 합류했다.

"류토~!"

오랜만에 본 루나는 여전히 사랑스러웠다. 어디라고 콕 집어 말할 수는 없지만, 또 조금 예뻐진 것 같은 기분이 들었다.

실제로도 의류 매장에서 일하기 시작한 뒤로 루나는 더 멋쟁이가 됐다. 야마나와 타니키타도 고3 때 그렇게 말했으니까, 이 소감은 자신있게 말할 수 있었다.

"가자, 가자. 가게를 예약해 뒀어."

"앗, 그렇구나……. 고마워, 미안."

"됐어, 괜찮아. 내가 너무 기대돼서 한 거니까!"

그렇게 말한 루나가 북적이는 인파를 피하듯이 내게 몸을 기댔다. 그녀의 손가락이 내 왼손 손가락을 나긋하게 휘감더니 꼭 손을 잡았다.

따뜻하다.

루나의 피부의 감촉이 느껴진다.

아, 좋아. 가슴이 두근거렸다. 어떻게 이렇게 오래 만나지 않고도 아무렇지 않을 수 있었을까 진심으로 의아해질 만큼.

수년의 세월이 흘렀음에도, 나는 계속 루나를 사랑하고 있다.

루나가 예약한 가게는 차분한 인상의 와인바였다. 벽에 붙어 설치된 투명한 와인셀러에 죽 진열된 병이 세련된 분위기를 연출하고 있다.

그 속을 걸어서 우리들이 도착한 곳은 가게 안쪽에 위치한 개인실이었다. 테이블을 끼고 2인용 소파가 2개 놓여 있고, 미닫이문으로 닫을 수 있게 되어 있는 완전한 개인실이었다.

"개인실이 비어 있길래 질러 버렸어. 아마도 취소분이겠지? 아침에 전철 안에서 인터넷으로 예약했어."

"그랬구나, 고마워."

가슴을 콩닥거리며 럭셔리한 소파에 앉아 루나를 마주 보았다.

점원이 떠나고 난 뒤 루나와 함께 메뉴판을 쳐다보았다.

"여긴 말이지, 권역 매니저가 자주 데리고 와 줬던 가게야. 문어 마리네이드가 엄청 맛있어서, 류토한테도 먹여 주고 싶다고 생각했어. 문어 좋아하지?"

"응. 먹고 싶어."

"그리고 그릴드 머시룸도 맛있어! 커다란 게 표고버섯 같아. 처음 먹었을 땐 진짜로, 너무 맛있어서 한껏 흥분했어!"

"오, 맛있겠다."

이제 사귄 지도 오래돼서 루나는 내 음식 취향을 잘 파악하고 있었다.

"그럼 내가 추천 메뉴를 주문해도 될까?"

"응."

"음료수……."

루나가 소프트 드링크가 적힌 페이지를 펼쳐서 내가 주류 쪽으로 넘겨줬다.

"마셔도 괜찮아."

"아, 딱히 상관없어. 논 알코올 와인으로 건배하자!"

루나는 웃는 얼굴로 메뉴판을 닫은 뒤 점원을 부르는 버튼을 눌렀다.

"매번 한 잔 마시고 취해 버리니까, 오늘은 요리를 맛보고 싶어."

나한테 맞춰 주려는 거겠지만, 그것조차 신경 쓰이지 않게끔 환히 웃는 루나는 여전히 다정하고 사랑스러웠다.

하지만 그런 천사 같은 그녀를 앞에 두고도 나는 조금 마음이 불편해지는 것을 느꼈다……

루나가 주문해 준 요리는 전부 내 취향으로 맛있었다.

살짝 공복이 채워질 정도로 입가심을 하고 난 뒤, 나는 주뼛거리며 개인실을 둘러보았다.

흰색과 검은색을 기조로 한 심플하면서도 안락함이 느껴지는 실내 장식. 벽에는 모던아트라고 해야 할까, 다소 기하학적인 그림이 걸려 있었다.

이런 분위기 좋은 곳에서, 루나가 다른 남자와 식사를 하는 장면을 상상하자…… 아무리 해도 가슴이 술렁거렸다.

"……권역 매니저하고도, 늘 개인실에서 마셔?"

머뭇거리며 말을 꺼내자 루나는 살며시 고개를 저었다.

"아니. 그 사람은 정말 즉흥적으로 가자고 해서, 예약 따윈 안 해. 늘 직전에 가게에 전화해서 비어 있지 않으면 다른 가게로 가는 느낌이랄까. 개인실은 예약하지 않으면 비어 있지 않거든."

"그렇구나."

조금 안도했다.

"화장실로 갈 때 여기 앞을 지나가니까, '개인실도 있구나, 류토랑 오고 싶다.' 하고 내가 멋대로 눈도장을 찍어 놓은 것뿐이야."

루나는 그렇게 말하더니 나를 응시하며 놀리는 듯한 미소를 지었다.

"……설마 류토, 권역 매니저를 질투하는 거야?"

"아, 아니, 딱히……."

정곡을 찔리는 바람에 바로 둘러대지 못하고 쩔쩔매고 말았다.

그런 나를 보며 루나가 이상하다는 듯이 웃었다.

"걱정 마, 그냥 쾌활한 아저씨거든. 엄청 예쁜 사모님이랑 완전 귀여운 딸도 있으니까."

"……뭐, 그래도, 바람을 피울 사람은 피우잖아……?"

내 말에 루나는 순간 어두운 표정을 지었다.

"……뭐, 그렇지."

"앗……."

연예인들의 사례를 떠올리면서 한 말이었는데, 그러고 보니 루나의 아버지도 바람을 피운 적이 있다는 것이 생각났다. 나는 당황했다.

"아니, 저기, 그래도, 딱히, 그 사람과 루나가 바람을 피웠다고 의심하는 건 아냐. 혹시라도 성희롱 같은 걸 당해서 루나가 불쾌한 경험을 하지 않았으면 좋겠다는 마음으로…….”

어떻게든 무마해 보려고 말을 주워섬기자 루나가 얼굴을 들더니 미소를 지었다.

“그렇구나. 고마워. ……류토는 역시 다정하네.”

그렇게 중얼거린 뒤 안심시키듯 웃었다.

“그래도, 정말 괜찮아. 나한테만 그러는 게 아니라 다른 점장이나 부점장한테도 말을 거는 사람이니까. 진짜로 변태 아저씨였으면 요즘 같은 시대에 회사에서 바로 문제가 됐을걸?”

“하긴…….”

회사라는 곳은 역시 내가 상상했던 것보다 훨씬 엄격한 모양이다. 조금 부끄러워졌지만, 마음에 걸리는 구석은 아직 남아 있었다.

“그, 그래도, 그 뭐야, 루나가 전에 말했잖아? ‘내 마음을 탐색하는 것 같다’느니 뭐니 하면서…….”

“아~, 그 얘기 말이지…….”

루나가 그제야 생각이 난 것처럼 말하더니 진지한 얼굴을 했다.

“실은 있잖아…….”

조금 경직된 음색으로, 루나가 얘기를 시작하려던 그때였다.

조용한 개인실에 진동음이 울려 퍼지고 루나가 가방을 뒤적였다. 가방에서 꺼낸 건 점멸하며 진동하고 있는 스마트폰이었다.

“아, 할머니네. 뭐지. 이 시간에 별일…….”

루나가 화면을 보며 중얼거렸다.

“받아. 급한 용건일 수도 있으니까.”

"응……."

루나는 잠시 문 쪽을 쳐다본 뒤 스마트폰의 버튼을 눌렀다. 개인실이라 통화를 해도 괜찮겠다고 판단한 것이리라.

"……할머니, 무슨 일로 전화했어?"

루나가 작은 목소리로 조심스럽게 말했다.

―루나, 이유식 어디에 있는지 아니?

평소에도 또박또박 말하는 사람이라 그런지 전화기에서 들리는 할머니의 목소리는 귀를 기울이지 않아도 내 귀에까지 들렸다.

―미스즈가, 조금 멀리 떨어진 약국에 살 게 있으니까 대신 봐 주겠냐면서, 쌍둥이를 두고 가 버렸지 뭐니~. 가자마자 둘 다 울음을 터뜨려서, 어떻게 해야 좋을지 모르겠어. 배가 고픈 게 아닐까? 미스즈는 그런 얘긴 한마디도 안 했지만.

"그거, 배가 고파서는 아닐 거야, 할머니."

루나는 차분했다.

"미스즈 씨는 정해진 시간에 꼬박꼬박 밥을 주고 있으니까. 지금은 졸려서 그런 거겠지. 할머니가 좀 안아 줄래?"

―응? 안아 줘? 어느 쪽을?

"둘 다."

―무리야~. 한 명도 무거운데, 허리에 탈이 날걸.

"소파에 앉아서, 한 팔에 한 명씩 안아 주면 가능해. 가슴이랑 배를 맞대고 있으면 안심하고 울음을 그칠 거야."

―그렇게 말해도~. 난 애들 엄마나 루나가 아니라서…….

할머니가 약한 소리를 냈다.

─있지, 루나, 오늘도 늦게 와?

루나는 힐끔 나를 보았지만, 의연한 표정으로 입을 열었다.

"응, 조금 미안. 오늘은 중요한 일이 있어서. 너무 늦기 전에 돌아갈게. 미스즈 씨도 잠깐 나간 거면 금세 돌아올 거야."

─정말 곤란해. 한 명이면 몰라도, 쌍둥이니까…… 나 혼자선 불안해. 아이들도 엄마가 아니면 불안할 테고.

"그렇게 말하면 나도 엄마가 아닌 건 마찬가지고, 처음엔 불안했어. 그래도 괜찮아. 할머니도 가족이니까."

다정한 미소를 지으며 루나가 말했다.

"아마 아이들도 자기 옆에 있으면서 조건 없이 다정하게 대해 주는 사람을 좋아하게 될 거야. 그러니까 꼭 가족이 아니라도 어머니를 대신할 수 있다고 생각하고."

그렇게 말하는 루나의 온화한 미소를 보고 있자니, 그녀가 평소부터 자신의 배다른 여동생들에게 얼마나 많은 애정을 쏟고 있는지 알 수 있었다.

처음엔 미스즈 씨를 도우려는 마음에서 시작한 일이었을지도 모른다.

하지만 단지 의무감 때문이 아니다.

루나는 동생들을 사랑하고 있었다.

그래서 일 때문에 녹초가 돼도 힘을 낼 수 있는 것이리라.

그리고 그녀가 맡고 있는 역할이 지금의 시라카와 가에서 얼마나

큰지는 할머니와 나누는 전화만 들어도 전해져 왔다.

할머니는 그 뒤에도 루나에게 불평을 늘어놓다가,

─……아, 미스즈가 돌아왔네. 다행이야.

라고 말하더니 바로 뚝 전화를 끊었다.

"……하아. 우리 할머니가, 실은 아이를 싫어하시거든. 본인도 자식을 둘이나 키웠으면서."

전화가 끊긴 뒤 루나는 그렇게 말하며 쓴웃음을 지었다.

하지만 그 직후, 다시 스마트폰이 전화가 왔음을 알리며 진동했다.

"정말, 할머니, 이번엔 뭐야?"

루나는 화면을 제대로 확인도 하지 않고 전화를 받았다.

─루나, 미안! 얘기 좀 할 수 있을까?

전화기에서 들려온 건 젊은 여성의 목소리였다. 루나의 '할머니' 발언도 개의치 않을 만큼 매우 당황한 기색이었다.

"엇, 저, 점장님?!"

루나는 스마트폰을 일단 귀에서 뗐다가 발신자 표시를 확인하고는 눈을 크게 떴다.

"어쩐 일이세요?"

─벚꽃으로 디스플레이를 하는 거 말이야, 모레가 아니라 내일부터였어! 아까 루나가 퇴근한 뒤에 본부에서 연락이 와서 알았지 뭐야. 칸나도 마감 시간까지 도와주고는 있는데, 알바생한테 억지로 잔업을 시킬 수도 없어서 막 돌려보내고 이렇게…….

아무래도 업무 연락인 듯했다.

―루나는 센스가 있으니까 입구 마네킹 코디를 맡기려고 했는데…… 혹시 근처에 있으면 돌아와 주지 않을래? 평생의 부탁이야! 나중에 뭐든 쏠 테니까!

루나는 물끄러미 테이블 위를 바라보더니, 이윽고 살며시 눈을 감고는 깊게 호흡하듯이 숨을 토해냈다 들이마셨다.

"……알았어요. 아직 신주쿠에 있으니까 지금 갈게요."

눈을 뜨고 문 쪽을 보며 루나는 씩씩한 목소리로 말했다.

―진짜?! 고마워! 내 실수로 일이 이렇게 돼서 정말 미안해!

점장은 전화를 끊을 때까지 진심으로 사과하며 루나에게 감사하고 있었다.

"……."

전화를 마친 뒤 루나는 잠시 복잡한 얼굴로 스마트폰을 바라보았다.

"……미안, 류토. 일 문제로 가게에 돌아가 봐야 할 것 같아."

"응."

일부러 그런 건 아니지만 사정은 충분히 파악했기에 나는 한껏 고개를 끄덕였다.

"고생이 많네. 다녀와."

그런 나에게 루나는 미안한 기색으로 미소를 보냈다.

"미안해. 오늘 밤은 그래도 조금 느긋하게 데이트를 할 수 있을 줄 알았는데."

그렇게 말하며 코트를 걸치고 나갈 준비를 시작했다.

"아까우니까, 괜찮으면 남은 음식은 먹고 가. 계산은 내가 해 둘 테니까."

"엇, 아냐, 괜찮아. 나도 낼 수……."

"아냐. 그리고, 오늘은 특별한 날이잖아?"

루나는 그렇게 말하더니 가방 옆에 있던 작은 종이봉투를 내밀었다.

"자. 여기 초콜릿."

그것은 유명한 고급 초콜릿 브랜드 로고가 박힌 종이봉투였다.

"고, 고마워……."

초콜릿을 받아 든 내게 루나가 살며시 미소를 지었다.

"나야말로 고맙지. 류토가 있어서 나도 힘을 낼 수 있는 거니까."

친밀함과 진심이 담긴 다정한 미소였다.

내가 일찍이 사랑했던, 그리고 지금도 계속 그리워하고 있는, 그때보다 성숙해지고 아름다운 미소.

그런 그녀를 배웅하며 혼자 개인실에 남은 나는 종이봉투 안을 확인했다.

안에는 손바닥 크기의 고급스러운 초콜릿 상자와, 작은 메시지 카드가 들어 있었다.

> 늘 지탱해 줘서 고마워.
> 류토, 정말 좋아해 ♡

얼른 매일 같이 지낼 수 있게 되고 싶어 ♡

루아

"……결혼하자."

카드를 읽은 나는 잠시 넋을 잃었다가, 가슴이 뜨거워지는 것을 느끼며 살며시 중얼거렸다.

◇

직장에서나 집에서나 루나는 주변 사람들에게 필요하고 의지가 되는 사람으로서 훌륭하게 제 역할을 다하고 있다.

그런 여성의 남자친구로서, 나도 내가 해야 할 일에 매진해야 한다.

편집부 알바는 주 3회 하기로 했다. 마침 학원 알바가 여유로운 시기라, 새로 고3이 되는 학생들의 수업을 되도록 토요일로 몰고 이전까지 수험생들의 강의가 잡혀 있었던 요일에 편집부 알바를 넣었다.

참고로 쿠로세는 주 4회 알바를 하고 있어서, 내가 일하는 요일에는 항상 그녀가 있었다.

"하아……."

그런 그녀가 한숨을 내쉬며 작업을 하고 있었다.

시각은 오후 8시.

"교료 뒤에는 이게 있어서 싫다니까."

그렇게 말하며 직원의 책상 위에 어질러져 있던 교정쇄를 묵묵히 정리했다.

최근에 알게 된 용어인데 교료는 잡지의 내용을 확인한 뒤 인쇄 공정으로 돌리는 것이라고 한다. 그 말은 즉, 게재가 예정된 모든 원고를 사소한 수정까지 전부 끝내고 완전한 형태로 제출하는 작업을 거쳐야 한다는 뜻이었기에, 교료 전은 편집부가 가장 예민해지는 시기였다.

이 편집부에서는 청소년 대상의 만화잡지『크라운 매거진』을 매월 발행하고 있었다. 교료일이 다가오면 사내의 공기는 잔뜩 곤두섰다. 전날 밤을 새운 듯 상태가 좋지 않은 편집자가 늘어나고, 무사히 교료일을 맞이하면 좀비 같은 몰골로 집으로 돌아간다.

그 작업 과정에서 대량으로 발생하는 것이 '교정쇄'라고 불리는 출력 견본으로…… 쉽게 말하자면 만들다 만 페이지 같은 것이었다.

내일부터 이어질 통상업무가 잘 굴러가도록 그들이 아수라장 속에서 어질러둔 대량의 교정쇄를 정리하는 것이 오늘 우리 알바생이 할 일이었다.

그리고 그 일은 아직 끝나지 않았다. 완전한 야근이었다. 그만큼 시급도 더 쳐 준다고 하니 뭐, 상관은 없지만.

크라운 매거진…… 통칭『크라매거』의 업계 내에서의 위치는 만화를 좋아하는 사람이라면 다들 알 만한 만화잡지, 라는 느낌일까. 나도 이름은 들어 봤지만, 이곳에서 일을 하기 전에는 읽어 본 적이 없었다. 하지만 라인업을 들여다보면 일찍이 사회현상급으로 유행했던 인기 만화의 작가가 본인의 취향대로 그린 작품을 연재 중이거나, 왕도 소년만화 잡지에는 실리기 힘들 것 같은 독특함이 있는 피카레스크물을 취급하고 있으면서도, 한편으로는 완전히 '모에*'에 치중한 작품도 실리는 등 상당히 종잡을 수 없는 컨셉의 잡지라 할 수 있었다.

그런 편집부지만, 사옥 면적은 5층 플로어의 절반 정도로 그렇게 넓지 않았다. 학교 교실 2, 3개를 합친 정도의 크기려나. 편집자는 편집장 같은 관리직을 제외해도 10명은 넘는 듯했지만, 재택근무 중인 사람도 있어서 아직 모든 사람과 만나지는 못했다.

그리고 지금은 그들은 다들 자리에 없었다. 방 안에는 나와 쿠로세뿐이다.

"카시마, 얼마나 더 있어야 끝날 것 같아?"

"으음……. 뭐, 많이 정리됐으니까, 1시간만 더 있으면……."

"나도 그쯤 걸릴 것 같아. 하아…… 정리는 정말 재미가 없다니까. 전혀 창의적이지 않아. 다들 알바를 그만두는 것도 이해가 가."

절전 때문에 세 개의 스위치로 나뉘어 제어되는 천장의 형광등은 우리들의 바로 위에 있는 것밖에 켜져 있지 않았다.

"완전히 어두워져서…… 잠깐, 비가 내리고 있잖아."

갑자기 손을 멈추고 창밖을 뒤돌아보며 쿠로세가 중얼거렸다.

"진짜네."

"카시마, 우산 가져왔어?"

---

* 어떤 대상에게 느끼는 강한 애착, 욕망 등을 나타내는 말.

"아니⋯⋯."

우리들은 지금 바로 옆에 앉아 작업하고 있다. 쿠로세는 편집장,
나는 부편집장의 데스크에 놓인 교정쇄를 정리하고 있었다. 창을 등
지고 있어서 날씨가 급변하는 걸 알아차리지 못했다. 방음이 잘되어
서인지 빗소리는 들리지 않았다.

"비가 올 거라고 일기예보에서 말했어?"

"그게, 하늘이 맑길래 별로 신경 안 쓰고 나왔어⋯⋯."

그런 얘기를 하고 있는데 어두운 창밖에서 시야 끝에 섬광이 날아
들었다.

잠깐 늦게, 내장을 뒤흔드는 듯한 굉음이 울려 퍼졌다.

"꺄악!"

쿠로세가 귀를 누르며 비명을 질렀다.

"천둥인가? 별일이네⋯⋯ 이런 계절에."

천둥하면 어쨌든 여름이라는 인상이 강하니까.

"⋯⋯춘뢰려나? 요즘 좀 따뜻해지기 시작했으니까."

"춘뢰?"

"봄에 치는 천둥. 하이쿠*에 들어가는 계어**이기도 해. 봄이 찾아
왔음을 표현하는 단어지."

쿠로세는 물 흐르듯 그렇게 말하며 작업을 재개했다.

국문학과 학생답다고 생각했다.

옛날부터 지적인 분위기가 있긴 했지만, 그녀의 지성은 대학에 들

* 俳句, 5·7·5음으로 이루어진 일본의 단시.
** 季語, 계절을 나타내는 단어.

어가고 나서 더 갈고 닦인 듯했다.

하지만 그런 그녀의 차분함도 이어진 낙뢰에 다시 무너졌다.

"꺄악!"

그녀는 작업을 내팽개치고는 창가로 다가가 블라인드 틈새로 밖을 쳐다보았다.

"뭐야…… 좀 가깝지 않아?"

"그러게…….."

나도 일단 작업을 멈추고 쿠로세 옆에 서서 창밖을 내다보았다.

"꺅!"

번개와 거의 동시에 그녀를 움찔거리게 만드는 천둥소리가 울려 퍼졌다.

"왠지 엄청 가까운 것 같은데…….."

그때였다.

플로어에 켜져 있던 불이 갑자기 전부 꺼졌다.

"헉, 싫어, 뭐야?!"

쿠로세가 소리를 질렀다.

그리고 벼락이 떨어졌다.

"꺄악~!"

전신에 덜컥 충격이 느껴졌다.

쿠로세가 나를 부둥켜안았다는 사실을 깨달은 것은, 살랑이며 코를 스치는 달콤한 냄새를 맡은 순간이었다.

"쿠, 쿠로세……?!"

당황해 몸을 떼려고 했지만, 나에게 매달린 그녀의 몸은 잘게 떨고 있었다.

"정전……? 싫어 싫어, 어두운 건 무서워……."

불안하게 떨리는 가냘픈 목소리가 들려온다.

그때, 퍼뜩 생각이 났다.

고2 때 쿠로세는 옥외등이 없는 어두운 신사에서 치한에게 습격당했다. 습격당한 직후의 그녀도 어쩌면 이렇게 떨고 있지 않았을까.

"……."

내가 먼저 그녀를 떼어 놓을 수는 없었다.

어떻게 해야 할지 알 수 없어 어두운 천장만 올려다보던 그때였다.

"……아."

형광등이 깜빡거리더니 불이 돌아왔다. 예비전원이 작동한 건지 낙뢰로 인한 정전은 일시적으로 끝난 모양이었다.

"……부, 불이 들어왔네. 다행이야……."

아직도 내 품에 매달려 떨고 있는 쿠로세에게 머뭇거리며 말을 걸었다.

"……."

쿠로세는 잠시 움직이지 않았다.

"……그러게."

몇 번인가 심호흡을 하는 것처럼 어깨를 들썩거리더니, 그녀가 그렇게 중얼거렸다.

그리고는 내 품에서 살며시 손을 떼고 세 걸음 뒤로 물러났다.

"……미안해. 일, 얼른 끝내자."

아무 일도 없었던 것처럼 말하며 쿠로세는 어색하게 미소를 지었다.

일을 마무리하고 밖으로 나오자 비는 이미 그쳐 있었다.

배가 너무 고팠기에, 쿠로세의 제안을 받아들여 일전에 갔던 선술집으로 향했다.

"……카시마, 나 있잖아."

생맥주 첫 잔을 비운 뒤, 쿠로세가 말했다.

"남자가 무서워."

무슨 뜻인가 싶어 바라보고 있으려니, 쿠로세가 눈을 내리깔았다.

"밤길에 모르는 남자가 옆을 스쳐 지나가기만 해도, 심장을 붙들린 것처럼 화들짝 놀라게 돼. ……이상하지."

"……그건, 그 신사에서 만난 치한 때문이야?"

머뭇거리며 묻는 내게, 쿠로세가 힐끗 시선을 보냈다.

"그러게. 그 뒤부터려나."

다시 고개를 숙이며 쿠로세가 입을 열었다.

"내가 1학년 때, 세련된 카페에서 아르바이트를 한 적이 있는데."

눈을 내리깐 채로 그녀가 말을 이었다.

"우연인지 외향적인 사람들이 많아서, 남자들이 다들 여자한테도 아무렇지 않게 스킨십을 하더라고. 무서워서, 2주 만에 관둬 버렸어."

확실히 그건 나라도 관두고 싶어질 것 같다고 생각했다. 인종이 너무 차이 났다.

"편집부 사람들은 신사적이지. 내향적인 것뿐일지도 모르지만, 아싸인 나랑 잘 맞아."

농담처럼 말하며 쿠로세가 자조하듯이 웃었다.

"……아까 정전됐을 때, 깜짝 놀랐어. 나, 지금도…… 카시마는 무섭지 않구나 싶어서. 내가 먼저 다가가서 안길 만큼 말이야."

그렇게 중얼거린 입가에는 자조의 여운이 남은 복잡해 보이는 미소가 어려 있었다.

"……"

조금 전 그녀가 안겨들었을 때의 감촉과 내음을 떠올렸다.

그러자 고등학교 시절 체육관 창고에서 있었던 일까지 떠오르는 바람에, 동요한 나머지 뺨이 달아올랐다.

"……저기, 난……."

상기된 목소리로 나는 입을 열었다.

"대학을 졸업하면, 루나랑 결혼하려고 생각 중이야."

왜 이런 말을 한 건지 스스로도 잘 모르겠다. 루나와 상의해서 결정한 것도 아니다.

그저 여전히 온몸에 남아 있는 쿠로세의 감촉을, 뭔가로 지워 버려야 한다고 생각했다.

"……그렇구나. 축하해."

쿠로세는 눈동자만 들어 힐끔 나를 올려다본 뒤, 입 끝을 올리며 말했다.

"후후."

뭐가 우스운 건지 고개를 숙인 쿠로세가 혼자 웃었다.

"……줄곧, 카시마를 향한 마음을 어느 곳에 둬야 할지 알 수 없었어. 그래도, 그렇구나……. 그렇게 되면, 카시마는 내 '형부'가 되겠네."

살짝 눈을 찡그리며, 쿠로세가 테이블 모퉁이를 응시했다.

"그런 식으로, 대하는 것도 괜찮을 것 같아."

자기 완결을 하듯 웃고 난 뒤 쿠로세가 나를 보았다.

"……그렇지, '형부'?"

장난스럽게 보내오는 미소에, 또 살짝 동요하고 말았다.

그런 내게서 시선을 돌리며 쿠로세가 차분한 어조로 말했다.

"……아까 한 얘기랑은 모순되지만 말이야. 난 남자가 무서운데도 한편으로는 남자에게 이끌림을 느끼기도 해. 이상하다고 생각하겠지만."

그렇게 말한 뒤, 어수선한 선술집 안의, 머나먼 저편으로 꿈을 꾸는 듯한 눈길을 보냈다.

"나보다 큰 키, 넓은 어깨, 커다란 손이 무서운데도, 거기에 닿아 보고 싶다는 기분도 들어. 나를 상처 입히거나 괴롭히지 않고, 소중히 아끼고 지켜 줄…… 유일한 남자에게라면."

그리고는 눈을 내리깔며 부끄러운 듯이 미소 지었다.

"아까 카시마를 만졌을 때…… 내 안에 잠들어 있었던, 그런 감정을 떠올렸어."

"……"

또다시 가슴이 살짝 들썩거렸지만, 그때 쿠로세가 시킨 두 잔째 생맥주가 도착했다.

쿠로세가 맥주잔을 들고 벌컥벌컥 맥주를 마시기 시작했다.

"……아~ 아. 카시마처럼 성실한 사람은 어디에 있는 걸까?"

맥주잔을 입에서 떼며 쿠로세가 말했다. 살짝 자포자기한 듯한 어조였다.

"제, 제법 있을걸. 잇치나 닛시만 봐도, 함부로 스킨십을 하거나 바람을 피울 만한 녀석들은 아니고……."

수습하는 듯한 내 발언에 쿠로세는 얼굴을 찌푸렸다.

"니시나는 계속 니코루를 좋아하고 있고, 이지치한테 손을 댔다간 아카리한테 살해당할걸. 다른 사람을 추천해 봐."

"엑……."

"대학 친구라든가 없어? 소개해 주지 않을래? 나도 슬슬 연애를 해 보고 싶어."

"에엥?"

어쩐지 귀찮아질 것 같은 전개라, 이쯤에서 화제를 돌리고 싶어졌다.

"그나저나 이번 달 크라매거 특집 봤어? 아까 교정쇄를 정리하다 봤는데……."

"엇, 뭔데 뭔데?"

그렇게 일단은 화제를 돌렸지만.

30분 뒤.

"으응~ 카시마~! 남자 좀 소개시켜 줘어~, 남·자!"

쿠로세는 완전히 취해 있었다.

텅 빈 맥주잔을 손에 들고 테이블을 탕탕 내려친다.

뺨은 빨갛고, 눈동자는 초점이 풀려 있었다.

"쿠, 쿠로세…… 보기 흉하니까 조용히 해……!"

술에 강하기는 무슨! 실컷 술주정을 부리고 있잖아!

확실히 오늘은 저번보다 페이스가 빨라서 벌써 다섯 잔째긴 하지만.

"저기~, 듣고 있어~?! 카시마가 대답을 안 해서 이러는 거거든~?!"

"뭐, 뭐……."

"그러니까, 남자를 소개시켜 달란 말이야~! 그래도 한 사람 정도는 있을 거잖아~?! 여친도, 좋아하는 사람도 없는 남자친구."

"이, 있기는 하지만……."

뇌리에 떠오른 건 당연히 쿠지바야시였다. 그 녀석 말고는 없었다.

"그럼, 지금 당장 연락해 줘~!"

"아, 아니, 그래도 그런 타입이 아니라고 할까……."

"됐으니까 얼른 말하라고~! 형부~?!"

"아, 알았어……!"

주변 사람들의 시선이 신경 쓰여서, 나는 그만 승복하고 말았다.

스마트폰을 꺼내 메시지를 보내려고 어플을 켰다.

> 내 여자 친구의 쌍둥이 동생이,
> 여자 친구를 모집 중인 사람을 소개해 달라고 말하는데,
> 괜찮으면 한 번 만나 보지 않을래?
> 지금 취해 있어서, 엄청 귀찮게 보채네.
> 날 살린다고 생각하고, 부탁해!

쿠지바야시에게서는 금세 답장이 왔다.

> 난 딱히 상관없어!
> 언제 만날까?

이젠 익숙해져서 위화감도 없지만, 쿠지바야시는 활자로는 평범하게 스스럼없이 얘기한다. 신기한 사람이다.

그나저나 평소에는 그렇게 커플을 눈엣가시 취급하면서 연애에 관심 없는 척하더니, 소개는 수락하는구나. 심지어 적극적인 느낌마

저 들고, 의외야.

"……'좋다'는데."

내 보고에 쿠로세의 만취한 눈동자가 반짝거렸다.

"정말~?! 아싸~♡"

그리고는 빈 맥주잔을 든 채로 마침 지나던 점원에게 말을 걸었다.

"기념으로 건배해야지~! 언니~, 여기 한 잔 더요!"

"필요 없어요. 죄송합니다! 대신 물을 가져다주세요!"

이제 다시는 쿠로세에게 술을 진탕 마시게 하지 않겠다고 진심으로 굳게 다짐했다.

◇

그 뒤, 내 중재로 쿠로세와 쿠지바야시는 다음 날 바로 만나게 됐다.

하지만.

"……있지, 카시마. 그 사람은 대체 뭐야? 내가 고2 때 루나를 괴롭힌 복수를, 지금 하기로 마음먹은 거야?"

그다음 날, 크라매거 편집부에서 마주친 쿠로세는 무서운 얼굴로 나를 추궁해 왔다.

"무, 무슨 뜻이야?"

"그 사람, 2시간 내내 계속 모리 오가이 얘기만 하다 돌아갔어. 나랑 한 번도 눈을 마주치지 않은 채로."

"뭐……."

그게 뭐야……. 나는 숨을 삼켰다.

쿠지바야시에게 '어땠어?'라고 메시지를 보내도 답장이 없길래, 잘되지 않았나 보다고 짐작은 하고 있었지만.

"아, 아아…… 걔가 국문학 전공이라서 말이야……."

내 궁색한 두둔에 쿠로세가 한층 험악한 표정을 지었다.

"나도 그런데?"

"그, 그게, 이성과 사귀어 본 적도 없고……."

"나도 마찬가진데?"

쿠로세의 미간에 여러 겹의 주름이 잡혔다.

"그래도 자기만 잘 아는 분야의 얘기가 처음 만난 이성 앞에서 선택할 화제가 아니라는 것 정도는, S랭크 대학에 다니는 학생이 아닌 나도 알거든?"

"……."

도저히 두둔해 줄 방법이 없어 입을 다물자, 쿠로세는 상처 입은 기색으로 눈을 내리깔았다.

"그렇게 내가 자기 취향이 아니면, 그냥 그렇다고 말하면 되잖아."

"아…… 아니."

나는 그 말에 입을 열었다.

"연애 대상이 여성이면서 쿠로세가 취향이 아닌 남자는 이 세상에 존재하지 않아. 내가 보증할게."

쿠로세는 그 말을 듣더니 순간 침묵했다. 그리고는 잠시 후 볼을
붉히며.

"……고, 고마워……."

하고 모깃소리처럼 작은 목소리로 웅얼거렸다.

그 틈에 나는 두둔을 재개했다.

"나쁜 뜻은 없었을 거라 생각해. 사람이 못돼 보이진 않았지?"

"뭐, 그건 그렇지만……."

그래도 쿠로세는 여전히 납득하기 힘든지 토라진 기색으로 입을
열었다.

"……난, 진지했어. 정말 사랑을 하고 싶으니까. 카시마의 친구라
면 틀림없을 거라고 기대했어……. 남자는 대하기 힘들지만, 연애
대상으로, 제대로 마주 볼 생각이었는데."

그리고는 씁쓸함마저 배어 나오는 표정으로 살며시 한숨을 내쉬
었다.

"완전 허탕이었어."

"……."

나도 쿠지바야시가 적임이라고는 생각하지 않았지만, 그를 소개
한 사람으로서 미안함에 움츠러들 수밖에 없었다.

"그래서, 다음엔 어떤 사람인데?"

"어?"

명랑한 목소리로 하는 말에, 나는 얼굴을 들었다.

"또 소개시켜 줄 거지? 2년이나 대학을 다녔는데 친구가 설마 한 명뿐이겠어?"

뻔뻔함마저 느껴지는 얼굴이었지만, 쿠로세는 역시나 발군의 미소녀였기에.

"다음번엔 좀 괜찮은 사람으로 부탁할게? '형부'?"

사랑스럽게 치켜뜬 눈으로 그렇게 말하자 순간적으로 거절의 말이 나오지 않았다.

◇

다음 같은 건 없다.

내가 가지고 있는 총알은 쿠지바야시뿐이다.

"자, 잠깐만 쿠지바야시?!"

다음 주, 늘 만나던 점심시간의 학생식당에서, 나는 먼저 자리에 앉은 쿠지바야시 옆으로, 내 주문을 뒤로한 채 다가갔다.

"쿠로세한테 2시간 동안 모리 오가이 얘기만 하고 돌아왔다는 게 사실이야……?!"

"그러하오."

카츠카레를 앞에 둔 쿠지바야시는 차분한 얼굴로 고개를 끄덕였다.

"처음 보는 여자애랑 데이트하는 거였거든? 알고 있어?"

"물론이오."

다시 한껏 고개를 끄덕이며 쿠지바야시가 입을 열었다.

"처음 만난 순간 확신했다오. '이렇게 귀여운 암컷이 소생의 여자 친구가 될 리 없어.'라고."

"……라, 라이트노벨 제목 같다?"

쿠지바야시는 고금의 일본 문학에 정통했기에, 작금의 오타쿠 문학에도 당연히 조예가 깊었다.

"그, 그렇지는 않을 거라고 생각해. 쿠지바야시 너도 멋지다고……. 그런데, 그 '암컷'이라는 표현은 그만하면 안 될까? 같은 인간이니까……."

"아니지. 소생처럼 처량한 동정 요괴와 설월화*처럼 눈부시게 아름다운 미소녀가 같은 인간이라고 귀군은 생각할 수 있소?"

"생각할 수 있어……. 쿠지바야시는 요괴가 아니니까……."

쿠지바야시의 자학은 재미있지만, 오늘만은 진지하게 타이를 수밖에 없었다.

"그리고, 그런 식으로 말하면 나도……."

말을 꺼내려다 입을 다물었다. 쿠지바야시의 눈이 날카롭게 번뜩인 것 같은 기분이 들었기 때문이다.

"음? 무슨 소리를 하는 것이오. 귀군은 사랑하는 여자 친구와 밤낮없이 알콩달콩 엎치락뒤치락하는 그야말로 초절 갓반인이거늘."

"바, 밤낮없이……?! 알콩달콩…… 이라니!"

---

* 눈과 꽃과 달이라는 뜻으로 사계절의 좋은 경치를 말한다.

어디에 태클을 걸어야 할지 알 수 없었지만, 아무래도 이것이 쿠지바야시의 나에 대한 인상인 듯했다.

"……아, 아냐. 요새는 못 만나고 있다고 했잖아. 같이 사는 것도 아니고……."

"호오. 이불 쪽은 바싹 말라 있다는 뜻이로군. 그거 유쾌 통쾌하구려."

"바싹 말라 있다고 할까……."

젖었던 적이 없다고 할까…….

민망한 기분에 고개를 숙이고 있으려니, 쿠지바야시가 내 얼굴을 물끄러미 쳐다보았다.

"설마 싶긴 하오만……."

"……."

드디어 말할 때가 왔다. 나는 숨을 삼켰다.

몇 번인가 쿠지바야시에게 털어놓으려고 했지만, 그가 나를 '초절갓반인'으로 취급하는 바람에 미처 하지 못했던 말을.

……하지만, 애석하게도.

"……뭐, 그럴 리가 없다. 혈기 왕성한 사춘기 남녀가 무려 3년 반이나 사귀었는데."

쿠지바야시는 멋대로 자기 완결을 내며 물러나고 말았다.

"……."

오늘도 말하지 못했다.

아니, 그런 건 아무래도 상관없다. 지금 내가 그에게 해야 할 말은.

"혹시 쿠로세가 마음에 안 들었어?"

"아니. 하지만 소생은 그렇게 하는 수밖에 달리 방법이 없었다오. 상대에게도 침묵으로 일관하는 것보다는 유의미한 시간이었을 것이오. 근대문학에 관심이 없는 건 아닌 듯하더군."

"그야 그렇겠지. 그 애는 릿슈인에서 국문학을 전공하고 있으니까."

"호오."

쿠지바야시가 살짝 감탄한 듯이 말했다.

그런데 대학 전공조차 서로 밝히지 않은 거냐고. 너무 심하잖아.

"이름은? 이름 정도는 그래도 서로 주고받았겠지?"

"쿠로세 아무개겠지. 귀군이 가르쳐 주지 않았소."

틀렸다. 망했다.

"……저기 있잖아, 쿠지바야시."

나는 비어 있는 그의 옆자리에 앉았다.

"나랑 처음 얘기한 날, 쿠지바야시가 말했지. '소생의 이름은 초인 헐크에서 유래했지만, 장신이라 말할 수 없는 어중간한 키에서 멈춰 버렸다오. 차라리 덩치가 작았다면 그걸로 웃기기라도 했으련만.'이라고. 그런 자기소개부터 시작했으면 됐잖아."

"……."

쿠지바야시는 침묵했다.

"이성이니 미소녀니 하는 건 신경 쓰지 말고, 다음번엔 평범하게 얘기를 나눠 보는 거야, 알겠지?"

어린아이에게 떠먹여 주는 듯한 심정으로 다독였지만, 쿠지바야시는 굳게 턱을 당기고 있었다.

"……다음번이, 있을 리가 없잖소."

"뭐?"

"아무리 소생이라도 그 정도는 아오. 그녀는 실망한 눈치였소."

"그런 건……."

그때, 주머니 안의 스마트폰이 몇 번 진동했다. 신경이 쓰여서 꺼내어 확인했다.

> 그래서, 어때?
>
> 다음 사람은 준비됐어?
>
> 형부?

"……."

망했다. 쿠로세는 쿠지바야시를 완전히 염두에서 지워 버린 기색이었다.

한번 그런 확신이 들자, 완강한 태도를 보이는 눈앞의 쿠지바야시에게 더는 뭔가를 말할 기분도 들지 않았다.

쿠로세는 그 뒤에도 만날 때마다 '소개'를 해 달라고 재촉했다.

그녀가 남성혐오증을 앓는 계기가 된 치한 사건에 대해서는 나도 책임감을 느끼는 부분이 있었기에 어떻게든 협력해 주고 싶었지만.

소개할 수 있는 친구가 없는 것이다.

"……."

자기 전, 침대에 누워 스마트폰을 보면서.

나는 몇 차례 망설이며 메모장에 초고를 쓴 뒤, 오랜만에 켠 그룹 채팅방에 글을 투하했다.

> 류토 오랜만이야.
>
> 둘 다, 요즘 어떻게 지내?
>
> 난 이이다바시 서점 편집부에서
>
> 아르바이트를 하고 있어. 쿠로세가 같이 하자고 해서.

답장은 내일 아침에나 올 줄 알았는데, 금세 읽음 표시가 2가 됐다.

> 유스케 오랜만!
>
> 헐~ 대박이네!
>
> 니시나 그런데 쿠로세랑 또 엮인 거야?
> 렌
>
> 아, 하긴.
>
> 시라카와의 동생이니까.

미리 말이라도 맞춘 것 같은 타이밍으로 속속 답신이 도착했다.

꼭 어제와 그저께도 주고받았던 것처럼 매끄러운 답장이었다.

거슬러 올라가면 지난번에 마지막으로 이 채팅방을 사용한 것이
벌써 1년 전인데도.

> 류토　그런데 미안, 갑작스럽겠지만,
>
> 둘 다 쿠로세한테 소개해 줄 만한 친구 없어?
>
> 인싸가 아니면서 진중하고 성실해 보이는
>
> 남자를 소개해 달라는 말을 들었는데,
>
> 내가 친구가 적다 보니…….

> 니시나　그런 게 있겠냐.
> 렌
>
> 애초에 친구도 없다고ㅎ

> 유세 　있다고 해도 기분 나쁜 동정 오타쿠밖에 없어.
>
> 쿠로세한테 소개하긴 힘들지.

"……."

그, 그렇겠지~!

사태는 조금도 호전되지 않았지만, 왠지 기뻐져 버렸다.

> 니시나　그건 그렇다 치고
> 렌
>
> 내가 마침 캇시 너한테 상담하고 싶은 일이 있었거든.
>
> 지금 전화해도 돼?

> 유세 　헐, 뭐죠 저만 따돌리는 건가요?
>
> 제가 음침한 참가자라서 그러시는 건가요?

니사렌   아니, 니코루 관련이거든.

눈치 좀ㅎ

유세   아~ 네네.

아직도 하고 있었구나.

힘내.

니사렌   아직도는 뭐야!

내 맘이라고!

류토   알았어, 전화 기다리고 있을게.

토크를 종료하고 기다리는데, 닛시에게서 전화가 왔다.

"아, 캇시? 진짜 오랜만이다."

"아아, 웅. 잘 지냈어?"

"그럭저럭. 그래서 말인데, 내가 여름방학 때 자동차 면허를 땄거든."

"아, 그랬구나."

"슬슬 운전에도 익숙해졌으니까, 니코루를 드라이브에 초대하고 싶은데…… 차 안은 밀실이잖아? 단둘이 가자고 하면 아무래도 경계를 할 것 같아서."

"아……."

확실히, 남자 친구가 있는 여자를 초대하는 건 쉽지 않은 일일 듯하다.

"그래서, 캇시랑 시라카와가 와 줬으면 좋겠어. 시라카와랑 같이 가면 니코루도 안심하겠지? 게다가 캇시도 면허증을 갖고 있잖아? 혹시라도 일이 생겼을 때 대신 운전해 줄 사람이 있으면 나도 마음이 든든할 테니까."

"한 번도 운전해 본 적은 없지만 말이지."

나는 대학 입학 전 봄방학에 면허를 땄다. 마침 그 무렵부터 루나가 바빠졌고, 입시를 끝낸 뒤 남아도는 시간을 주체하지 못하고 있었기 때문이다. 여전히 우리 집에는 차가 없었기에, 마지막 실기 시험 이후로는 2년 가까이 운전대를 잡지 않았다.

"뭐, 됐으니까. 시라카와를 꼬셔 줘. 부탁할게."

"알았어."

오랜만에 닛시도 만나고 싶고, 루나와 만날 기회도 늘릴 수 있으니 잘됐다. 야마나의 현 상황에도 관심이 있었다.

닛시와의 통화를 끝낸 뒤, 나는 바로 루나에게 연락했다.

"좋아! 일요일에 반차를 낼 수 있을 만한 상황이 되면 니콜한테 같이 가자고 얘기해 둘게! 완전 기대된다~!"

잇치, 닛시와 멀어져 버렸던 나와는 달리 루나는 고등학교 시절의 친구들과 지금도 자주 연락을 하고 있었다.

야마나를 설득하는 일은 금방 끝나서, 2주 뒤, 우리들은 넷이서 드라이브를 가게 됐다.

◇

"오~, 차 멋진데."

약속 시각인 오후 3시, A역 로터리에 정차한 차의 운전석에서 닛시를 확인한 나는 가까이 다가갔다.

닛시가 몰고 있는 차는 은색 세단이었다.

"중고지만 말이야. 아버지가 차를 좋아해서, 한번 찔러 봤는데 성공했어."

확실히 지금은 생산이 중지된 모델로 중장년들 사이에서 인기가 많은 차종이라, 차를 좋아하는 사람으로서 제법 조예가 깊은 사람의 선택이라고 생각했다.

"정말 오랜만이네."

1년이 넘어 만난 닛시는 조금 멋쟁이가 되어 있었다. 본인이 열망했던 것처럼 갑자기 키가 훌쩍 자란 것 같지는 않지만, 요즘 유행하는 오버사이즈 상의를 멋들어지게 차려입고 유명 브랜드의 키높이 스니커를 신고 있는 모습은 야마나를 만나기 위한 승부복이라고 생각해도 세련돼 보였다.

곧 루나와 야마나도 함께 나타났다.

"기다렸지~!"

"오~, 엄청 오랜만이다, 카시마 류토."

야마나는 닛시와 이따금 식사를 하곤 하는 모양이었다. 나는 졸업식 이후로 만난 적이 없었기에, 2년 만에 본 그녀는 상당히 성숙해 보였다. 여전히 갸루지만 고등학교 때보다는 세련된, 누님 같은 분위기를 풍기고 있었다.

"루나랑 뒷좌석에 앉아도 될까?"

차에 탑승하면서 나는 자연스럽게 닛시에게 질문을 건넸다.

"아~, 괜찮아."

내 어시스트를 눈치챘는지 아닌지 모르겠지만. 운전석에 앉은 닛시가 백미러 너머로 나를 보며 대꾸했다.

"헐~, 내가 조수석이야~?"

야마나가 조수석 문을 열며 불만스러운 얼굴을 했다.

"싫어?"

"조수석은 사고가 났을 때 죽을 확률이 제일 높다고 하잖아."

"하? 내 운전을 믿으라고."

"초보 운전 딱지를 달고 있는 녀석을 믿는 사람이 어디 있냐?"

웃으면서 닛시의 말을 받아치며 야마나가 안전벨트를 맸다.

여전히 사이가 좋아 보이는 두 사람이다.

"그래서, 어디로 갈 거야?"

"드라이브 하면 역시 바다지."

"엥, 아직 추운데?"

루나가 놀랐다.

"뭐~ 상관은 없지만. 요코하마 방면으로 갈 거야? 아니면 쇼난?"

야마나의 질문에 닛시는 내비게이션을 만지작거리며 고개를 저었다.

"아니, 아싸라서 치바밖에 못 간답니다."

"너, 슬슬 치바한테 사과하지 그래?"

"뭐 어때, 난 치바 완전 좋아해!"

루나가 두둔해 준 덕에, 화기애애한 분위기 속에서 드라이브가 시작되었다.

하지만 날씨는 드라이브를 하기 좋다고는 그다지 말하기 힘들었다.

"헐, 비가 오잖아."

야마나의 목소리에 창문을 보자, 가느다란 물방울들이 창문 바깥쪽에 들러붙어 있었다.

"뭐, 일시적일 거야. 예보에선 저녁부터 갠다고 했거든."

닛시가 대답했다. 아직 일반도로라 그런지 표정에 여유가 있었다.

"그런데 캇시, 오늘 중간에 대신 운전해 줄 거야?"

"어?!"

놀라는 내게 옆자리의 루나가 초롱초롱한 시선을 보냈다.

"와~! 나, 류토가 운전하는 모습을 보고 싶어!"

"으으음……."

그렇게 말하니, 멋진 모습을 보여 주고 싶은 기분도 든다. 하지만 서툰 운전 실력으로 허둥거리는 모습은 보여 주고 싶지 않았기에 고민이 됐다.

"……일단 면허증은 가지고 왔어. 교본도 다시 읽어 봤고."

"와아~!"

루나가 기뻐했다.

"초보 운전이랑 장롱 면허야? 오늘이 우리들의 기일이 될지도 모르겠네⋯⋯."

야마나가 과장된 한숨을 내쉬었다. 의외로 비관적인 사람이다.

"그러고 보니 세키야 씨는 면허 땄어?"

루나의 물음에 야마나는 고개를 가로저었다.

"안 땄어. 대학에 합격하면 딸 거래."

하긴, 고3 때부터 내내 공부만 하고 있으니 그럴 틈은 없었을 터다.

"그럼 이제 금방이겠네?"

"⋯⋯글쎄 어떠려나."

체념한 기색으로 대꾸하며, 야마나가 고개를 옆으로 돌린 채 먼 산을 바라보았다.

"이젠 별로 기대하지 않으려고 해. 내가 뭔가를 해 줄 수 있는 것도 아니고⋯⋯."

"그래도 내년부터 대학생이 되는 건 확정이지? 다른 학부에는 합격했으니까."

내가 그렇게 말하자 야마나가 안색을 바꾸며 뒤돌아보았다.

"엥, 정말이야?!"

아차 싶었다. 설마 야마나에게 얘기하지 않았을 거라고는 생각도 못 했다.

"응⋯⋯, 본인에게 들었어. 하지만 몰랐다면 미안, 잊어 줘."

"하? 잊을 수 있을 리가 없잖아."

"깜짝 이벤트로 밝힐 예정이었을 수도 있으니까. 정말 미안."

"……뭐, 그럼 선배한테는 비밀로 해 둘게."

야마나는 마지못해하는 기색으로 말했다.

"……그런데 어느 대학이래?"

"그건 못 들었지만, 가까운 곳 아닐까? 보험용이잖아."

"그렇구나……. 선배, 겨우 입시가 끝나는구나."

야마나는 상기된 뺨으로 감개무량하게 혼잣말했다. 그 옆얼굴은 완전히 사랑에 빠진 소녀의 그것이었다.

"……."

나는 백미러를 보았다. 닛시는 진행 방향을 물끄러미 주시한 채, 묵묵히 핸들을 쥐고 있었다.

"헐, 싫어. 무서워, 무서워, 무섭다고!"

고속도로 진입을 알리는 급가속에 야마나는 비명을 질렀다. 몸을 움츠린 채 창문 위에 있는 손잡이를 양손으로 꼭 붙잡고 있다.

"으랴으랴으랴~!"

닛시는 득의양양하게 액셀을 밟았다. 슈팅 게임에서 적을 난사할 때 짓던 표정이다.

"괜찮아?! 괜찮은 거야?! 뒤에서 오는 차랑 충돌하는 건 아니겠지?!"

"그러니까 나를 믿으라고!"

"그러니까 초보 운전 딱지를 단 녀석을 어떻게 믿냐고!"

앞자리의 두 사람이 꺅꺅 소란을 피우는 것을 보며 나는 루나와 눈을 맞췄다.

"……니시나, 평범하게 운전을 잘하네."

"그러게."

아마도 야마나와 함께 드라이브를 가려고 상당한 연습을 한 것 같았다. 차가 없는 사람으로서 조금 부러웠다.

닛시가 운전하는 차는 순조로이 고속도로를 나아가 치바 방면으로 향했지만, 중간에 막히는 구간도 있었다.

"……뭐야, 이거. 왜 이렇게 꾸물거려?"

"5킬로 정체라고 하네. 내비게이션에 나와 있어. 사고나 차선 규제 때문일 수도 있겠다."

"뭐어? 옆 차선으로는 못 가?"

"무리야. 다 막혀 있어."

"하아…… 완전 지루해."

야마나가 살짝 짜증이 섞인 소리를 내고, 차 안의 공기가 침체되려던 그때.

"니콜, 휘낭시에 먹을래~?"

루나가 자신의 가방에서 과자를 꺼냈다.

"전에 알바 했던 케이크 가게에서 산 거야!"

"오, 먹을래 먹을래! 거기 건 진짜로 하나같이 다 맛있다니까~."

마침 간식을 먹을 시간대라 살짝 배가 고팠던 걸지도 모르겠다. 차 안이 순식간에 화기애애한 분위기로 변했고, 나는 새삼스레 루나에게 반했다.

다행히 정체는 20분 정도로 끝나서, 차는 다시 고속으로 달리기 시작했다.

그리고 마침내 터널을 빠져나와 좌우로 바다가 펼쳐진 다리 위를 주행하기 시작했다.

공교로운 날씨 덕에 바닷빛은 회색에 가까웠지만, 바다가 없는 현에 사는 주민에게는 그것도 장관이라 넋을 잃고 쳐다보고 말았다.

"헐, 이 길 뭐야. 엄청 기분 좋다!"

"와~ 굉장하다! 전부 바다야~!"

"아쿠아라인*이야. 우미호타루에 들렀다 갈래?"

"갈래 갈래~! 뭔지는 모르겠지만."

그리하여 차는 우미호타루 주차장으로 향했다.

나도 잘 몰랐는데 우미호타루란 카나가와와 치바를 잇는 아쿠아라인이라는 도로 중간에 있는 주차 구역이라고 한다.

말 그대로 바다 한가운데에 두둥실 떠 있는 인공섬이라 바다라는 장관을 360도로 즐길 수 있었다.

"헐, 경치 되게 좋다!"

데크를 걷는 것만으로도 속이 탁 트이는 듯한 해방감을 느끼고 있는데 루나가 감동에 찬 탄성을 내질렀다.

"스마트폰 스탠드가 있어~! 사진 찍자~!"

"오, 좋지~!"

---

* 도쿄만을 가로지르는 일본의 고속도로.

"좋아, 10초 타이머로 했어!"

"루나, 얼른 얼른~!"

"헉, 기다려! 데크의 홈에 굽이 끼였어!"

"헐, 뭐 하는 거야."

"아하하~!"

허둥거리는 사이에 셔터가 작동하고 말았다.

"웃긴다! 렌, 눈을 반만 뜨고 있잖아."

"니코루 너도 징역 300년 같은 얼굴을 하고 있거든."

"내가 눈매가 사나운 걸로 놀리지 말라고 했지."

"뭐~, 그게 좋다고 생각하니까, 난."

"이 진성 M 자식."

이렇게 보면 두 사람은 평범하게 분위기 좋은 남녀로 보였다. 이런 걸 두고 '티격태격 커플'이라고 하는 걸까.

"나 때문에 타이밍이 어그러졌네. 미안~."

"내 말이~. 포획당하지 말라고~."

헤실거리며 웃는 루나를 야마나가 웃으며 놀렸다.

"이번엔 내가 셔터를 누를게. 루나는 그쪽에 있어."

"앗, 고마워, 류토!"

그렇게 사진 촬영은 무사히 끝났고, 우리들은 음료수를 사서 차로 돌아갔다.

개이기 시작한 하늘 덕에 해 질 녘의 바닷가 드라이브는 기분이 좋았다.

케이블로 차와 연결된 닛시의 스마트폰에서는 나도 들어 본 적 있는 팝송이 흘러나오고 있었다.

"'위이, 아 네버, 에버, 에버, 에버······.'"

조수석의 야마나와 루나가 후렴구에서 동시에 가사를 흥얼거렸다.

"거기밖에 안 부르냐고."

곡이 종반에 이르렀을 때, 닛시가 웃었다.

"하? 제일 첫 부분의 '위'도 불렀거든."

"외우려고 가사를 봐도 영어라서 금세 잊어버린단 말이지."

"내 말이~."

루나의 말에 야마나도 웃었다.

나는 뭘 걱정하고 있었을까. 문득 그런 생각이 들었다. 닛시도 야마나도, 그 무렵 그대로였다.

분명 잇치와 타니키타도 만나 보면 그런 느낌을 받겠지.

괜히 벽을 느끼고 있을 시간에 더 일찍 연락을 할 걸 그랬다.

KEN의 얘기를 하지 않아도, 공통되는 화제가 없어도, 우리들은 평범하게 친구였다.

함께하면서 같은 것을 보고, 같은 시간을 공유할 수 있으면 그것만으로도 즐거울 수 있는 관계였다.

그 사실을 깨닫자 가슴이 뜨거워졌다.

그리하여 우리들은 해변에 도착했다.

방금 전까지 비가 내렸던 탓인지 춘분이 오기 전의 저녁 해안은 상상했던 것보다 훨씬 더 싸늘했다.

회색 모래사장 너머로, 흰색 잔물결이 이는 짙은 남색 바다가 펼쳐져 있다.

"추워!"

"이건 정말 안 되겠다, 동사하겠어!"

그렇게 소리를 지르면서도 루나와 야마나는 파도가 밀려드는 경계로 다가갔다.

"날씨가 좀 너무 겨울인데~! 이렇게 추울 필요까진 없지 않아?!"

"그보다 이 힐을 어쩔 거야, 도저히 못 신겠어."

"나도~! 벗어야겠어."

"엥, 맨발로 걸으면 더 힘들지 않을까?!"

두 사람은 그런 대화를 나누며 꺄꺄 웃고 있었다.

그리고는 포옹하듯이 몸을 맞댄 채 바다를 배경 삼아 갸루 포즈로 셀카를 찍기 시작했다.

나와 닛시는 모래사장에 놓인 유목 위에 앉아 그런 두 사람을 지켜보았다.

뺨과 귀를 쓸고 지나가는 바닷바람이 날카로운 칼날처럼 차가웠다.

"……니코루가 다른 남자를 좋아해도 괜찮아. 옆에 있을 수만 있다면."

불현듯 닛시가 그런 얘기를 꺼내기 시작했다.

"같이 있다고 해서 마음까지 옆에 동여매 둘 수는 없어. 사람의 마음은 자유로우니까."

닛시의 시선이 집중되고 있는 것은 내가 아니라 물가에서 까불고 떠드는 야마나였다.

"눈에 보이지 않는 것까지 원하기 시작하다간 설령 손에 넣는다 해도 정말로 내 것이 맞는지 알 수 없어서 상대방을 의심하다 괴로워지기만 하겠지. 그래서 나는 주려고 생각해."

고개를 숙인 채 중얼거리고 나서야 닛시는 겨우 나와 눈을 맞추고는.

"니코루한테, 만날 때마다 '좋아한다'고 말하고 있어. 매번 흘려넘기긴 하지만."

쓴웃음이 섞인 미소를 지었다.

"하지만 딱히 상관없어. 그래도 니코루가 같이 있어 준다는 게, 내가 바라는 대답이라고 생각하니까."

아무 말도 할 수 없어 그저 귀를 기울이는 내 옆에서, 닛시는 스스로에게 되뇌듯이 뇌까렸다.

"……믿는 수밖에 없겠지. 믿고, 주는 것밖에, 내가 할 수 있는 일은 없어."

모래사장은 마치 사막 같았다. 여름에 분명 숨 쉬고 있었던 크고 작은 온갖 생명체들은, 이제 흔적조차 보이지 않는다. 바람 혹은 밀물이 만든 무기질적인 모래의 모양을 보며, 나는 닛시가 하는 얘기를 듣고 있었다.

"연인이 돼도, 결혼을 해도…… 애정이란 결국 그런 거라고 생각해."

"……말은 잘하네, 동정 주제에."

옆에 앉은 닛시가 너무나도 거대한 남자처럼 보여서.

옛 친구로서 부끄럽기도 하고 조바심도 들어서, 그만 얼버무리고 말았다.

"우와, 짜증 나거든, 그 거만한 말투."

거만할 의도는 조금도 없었지만 닛시도 역시 나를 그렇게 생각하고 있는 것 같다. 뭐, 이만큼 만나지 못했으니, 모르는 사이에 진전이 있었을 거라고 여기는 것도 당연하겠지.

그러는 사이, 루나와 야마나가 물가에서 돌아왔다.

"추워어!"

"그래서 이제부터 어쩔 거야?"

"엄청 추워~. 몸을 녹이고 싶어!"

그런 두 사람과 나를 향해, 닛시가 씩 웃었다.

"그럼, 따끈하게 데운 술이라도 마시러 갈까?"

"헐, 오늘은 네가 운전사 아냐?! 그러면 음주 운전이잖아."

"운전사라면 한 명 더 있잖아."

야마나에게 대꾸한 닛시가 내 쪽을 보았다.

"캇시, 아직 19살이지?"

"으, 응……."

"어차피 못 마시잖아! 돌아가는 길에 운전해 줄 거지?! 결정된 거다~!"

"에에엑?!"

그리하여 내가 승복하기도 전에, 어느새 술자리에 돌입하게 되고 말았다.

우리들이 들어간 곳은 현지인들만 갈 것처럼 로컬 색이 넘쳐흐르는 선술집이었다. 가게 앞에 '갓 잡은 생선', '특산물 생선'이라는 깃발이 세워져 있었기에 신선한 해산물을 먹을 수 있을 것 같아 들어와 봤다.

아직 오후 6시도 되지 않은 시간이라 다른 손님은 없었다. 안쪽에 한 단 높게 설치된 좌식 공간에 앉아, 우리들은 각자의 마실 것으로 건배했다.

"건배~!"

야마나는 매실주, 루나는 나와 같이 콜라, 닛시는 선언한 대로 데운 술을 주문했다.

쿠로세 때도 생각했지만, 동급생이 당연하다는 듯이 술을 마시는 모습을 보는 건, 어쩐지 묘한 기분을 불러일으켰다.

"그런데 닛시도 술을 마시는구나."

"뭐~, 마실 수 있는 나이가 되면 일단 마셔 보고 싶어지는 게 인지상정이잖아? 대2한테는 흔한 일이지 뭐."

"확실히."

우미노 선생님도 그렇고, 쿠로세도 그렇고, 요사이 유독 동갑인 사람이 술을 마시는 모습을 보게 되는 것도 그래서인가.

"그래서 말인데."

그때 닛시가 화제를 돌리듯 운을 뗐다. 취기가 돌기 시작했는지 살짝 붉어진 얼굴을 하고 있다.

"3학년이 되면 말이야, 제미*가 시작되잖아? 캇시는 이미 정했어?"

"아아, 응. 교양 과목에 재밌는 강의를 하는 교수님이 계시길래 거기로 했어."

딱히 더 할 만한 얘기도 없었기에 나는 간결하게 대답했다.

"닛시 너는? 법학부는 어떤 느낌이야?"

"아~ 응. 나는 로스쿨에 진학하려고 생각 중이니까, 그쪽도 하고 있는 교수님의 제미로 결정했어."

"엇, 로스쿨이라니…… 변호사나 재판관이 되려고?"

놀라서 되묻자 닛시는 고개를 끄덕였다.

"사실 우리 대학 로스쿨의 실적을 보면 바로 사법시험에 합격하긴 힘들 것 같지만 말이야."

닛시는 자조하듯이 웃더니 다시 진지한 얼굴로 돌아왔다.

"그래도 문과에서 의사에 대항할 수 있는 직업이라면 변호사 정도잖아!"

야마나는 그런 닛시를 힐끔 쳐다보고는 턱을 괸 채로 입을 열었다.

---

* 독일어 '제미나르'에서 파생된 말로, 소수의 그룹 형태로 이뤄지는 수업. 보통 3학년 때 하나의 제미를 선택해 교수의 도움을 받으며 2년간 관심 분야에 대해 연구하는 활동을 한다.

"……나는 딱히, 의사가 될 사람이라서 선배를 좋아하게 된 게 아니라고 말했는데."

그 모습을 보아하니 야마나에게는 진작부터 장래 희망을 털어놓은 모양이었다.

"그래도 꿈을 가지고 있다는 건 좋은 일이지. 니시나, 멋있어~!"

"루나는 어때? 요즘 하는 일. 뭔가 이것저것 일이 많다고 했잖아."

"아…… 그 얘기 말이지."

야마나가 화제를 돌리자, 루나가 긴장한 모습으로 힐끔 나를 쳐다보았다.

"……실은, 아직 류토한테도 말하지 않은 건데. 나, 권역 매니저한테 '후쿠오카점 점장이 되지 않겠냐'는 제안을 받았어."

"엑, 후, 후쿠오카?! 라면, 그 규슈에 있는?!"

동요해서 얼빠진 소리를 지른 내게, 루나가 굳은 얼굴로 고개를 끄덕였다.

"맞아. 서일본 지역의 대표 매장이라서 꽤 중요한 포지션인데, 권역 매니저가 꼭 나를 추천하고 싶다고 하더라고."

"……."

설마 며칠 전 와인바에서 하려고 했던 말이 이 얘기였던 걸까.

"후쿠오카점의 현 점장과 부점장이 4월부터 이동하게 됐거든. 매출이 살짝 떨어졌다나. 그래서 이참에 아예 다른 지역에서 젊은 스태프를 파견해서 분위기를 새로 바꿔보자고 본부에서 얘기가 나왔나 봐. 우리 권역 매니저가 여러 점장, 부점장과 술을 마시면서 적성을 살펴보고…… 그중에서 나를 보내고 싶다고 말했어."

"엄청 기대받고 있잖아."

야마나가 놀리듯이 칭찬하자 루나는 민망해하면서도 살짝 득의 양양한 미소를 지었다.

"후훗. 나, 실은 조금 성적이 괜찮아. 관동 지역에서 톱5에 들었거든."

"대단한데. 확실히 루나가 입고 있는 옷은 다 좋아 보이니까."

"안 그래. 손님들도 제대로 입어본 뒤에 산다구."

"루나는 말솜씨도 좋잖아. 기분좋게 만들어 주니까 턱턱 사는 거겠지."

"정말~, 사람을 사기꾼처럼~!"

루나가 장난스레 뺨을 부풀렸다.

"하핫. 네가 남을 칭찬할 때 정말로 진심이라는 건 보면 알아. 손님들도 뻔히 들여다보이는 겉치레에 넘어갈 만큼 바보가 아니고."

"니콜…….'"

"……그래서, 후쿠오카로 갈 거야?"

야마나의 진지한 물음에 루나도 심각한 표정으로 고개를 숙였다.

"음~, 아직 제대로 대답하지는 않았어."

"가고 싶지 않다는 뜻이야?"

"음…….'"

턱을 당긴 채로 루나는 신음했다. 콜라가 담긴 유리잔을 양손으로 잡고, 빨대 부근을 물끄러미 쳐다보았다.

"인정받은 건 기뻐. 하지만……."

"……그렇게 고민할 여유도 없지 않아? 4월부터면…… 이제 금방
이잖아."

"응……."

그런 루나의 미적지근한 태도에서 뭔가를 감지했는지 야마나는
갑자기 밝은 표정을 지었다.

"뭐, 루나라면 어디서든 잘할 거야! 부담 없이 보고 싶을 때 만날
수 없게 되는 건 아쉽지만. 전화는 할 수 있으니까."

그런 그녀에게 루나는 미간을 찌푸리며 웃었다.

"그러지 마~, 왠지 슬퍼지잖아."

그리고는 애써 표정을 원래대로 되돌렸다.

"니콜은? 4월부터 일할 가게는 벌써 정해졌어?"

"응. 완전 동네에 있는 살롱에서 일하게 됐어. 또 A역 바로 근처
야."

"그렇구나~! 와~, 내가 제일 첫 손님이 되고 싶어! 프로 네일리스
트 니콜의~!"

"엥, 일부러 후쿠오카에서 오려고? 그쪽에도 가게는 잔뜩 있을 텐
데."

루나가 다시 쓴웃음을 지었다.

"그러니까, 후쿠오카에 가는 건 아직 확정되지 않았다고!"

"가면 뭐 어때서. 영원히 거기 있을 것도 아니잖아? 스무 살에 점
장이라니 대단하지 않아?"

야마나의 말에 루나는 진지한 얼굴로 고개를 숙였다.

"……그렇긴 하지. 그건 좋은 기회라고 생각하지만."

"나도 놀러 갈 테니까. 아~, 본고장의 하카타 라멘 먹고 싶다~! 닭 전골도 그쪽이었던가?"

"그러니까 마음이 급하다고, 니콜은~!"

그런 두 사람의 대화를, 아까부터 나는 거의 한 귀로 듣고 한 귀로 흘리는 중이었다.

루나가, 후쿠오카로 간다고?

"……."

옆에서 닛시의 시선이 느껴졌지만, 차마 그를 볼 수가 없어서 나는 눈앞의 유리잔에 시선을 쏟았다.

그 뒤부터는 산지에서 잡은 생선으로 뜬 신선한 회도, 다른 지역에서는 보기 드문 이곳에서만 만날 수 있는 생선도, 뭘 먹어도 맛이 느껴지지 않았다.

◇

집으로 돌아오는 길, 나는 하는 수 없이 2년 만에 자동차 핸들을 쥐게 됐다.

"그럼 루나, 조수석에 앉아 줘."

야마나는 닛시와 함께 뒷좌석에 올라탔다.

"헐~, 왠지 가슴이 두근거려~."

루나는 조수석에 앉아 안전벨트를 매며 힐끔힐끔 옆에 앉은 나를 보았다. 실내등에 비친 뺨이 발갛게 홍조를 띠고 있는 것처럼 보였다.

"여기 키. 엔진은 거기."

닛시에게 가볍게 지시를 받으며 나는 엔진을 켜고 액셀을 밟았다.

몸은 생각보다 운전 방법을 잘 숙지하고 있었다. 차를 좋아해서 일부러 수동 면허를 땄기 때문인지 자동변속기 차량의 조작이 쉽게 느껴지는 것도 원인인 듯했다.

"……왜, 왜 그래?"

잠시 운전을 하고 있자니 옆에서 엄청난 시선이 느껴져 저도 모르게 루나를 쳐다보고 말았다.

"아니이."

루나는 나를 응시하며 고개를 저었다.

"멋지다 싶어서."

"……"

민망해져서 아무런 대꾸도 하지 못한 채 가만히 있자 루나는 기쁜 듯이 미소 지었다.

"나, 고등학교 때부터 류토랑 드라이브를 하는 날이 오기를 기대하고 있었거든."

"……그랬지. 미안."

둘이서 MEGA WEB에 갔을 때의 기억이 떠올랐다. 그 장소는 이제 없다. 그만큼 세월이 지났다는 뜻이다.

"아니이. 나야말로 미안해."

루나가 미안한 기색으로 말했다.

"요 2년간, 너무 바빠서 류토와 만날 시간을 통 못 냈잖아."

내가 대답을 망설이는데 루나가 말을 이었다.

"난 류토랑 함께 있고 싶어. 일에서 보람도 느끼고 싶고. 그러기 위해서 어떻게 해야 좋을지 계속 고민하고 있어."

문득 루나를 보자, 그녀는 전방을 똑바로 응시한 채 결연한 표정을 짓고 있었다.

그런 그녀에게 나는 말했다.

"……나는 루나 편이니까."

어떤 결단을 내리고, 어떤 길로 나아가든…….

설령 그것이 두 사람 사이에 거리를 만드는 선택이라도.

생각은 그렇게 해도, 얼굴에는 차마 어쩌지 못한 씁쓸함이 어렸을 것이다.

"류토."

루나가 미간을 찌푸리며 나를 바라보았다.

"내 마음은 이미 정해졌어. 하지만, 지금보다 험난한 길이 될 게 분명하니까…… 마지막 결단을 내리지 못하고 있었을 뿐이야."

살며시 고개를 숙이며 루나가 입술을 떨었다.

"나, 류토를 슬프게 만들 일은 하지 않을 테니까."

그렇게 말하며 재차 고개를 들고 나를 쳐다본다.

"걱정하지 말고, 지켜봐 줘."

"……루나…….""

가슴이 벅차올라서, 나는 진행 방향으로 시선을 고정한 채 고개를 끄덕였다.

"응. ……응원하고 있을게."

복잡한 심경으로 중얼거렸다.

거기까지만 말하려고 순간 꾹 입을 다물었다가.

역시 다 말하기로 결심하고 입을 열었다.

"……그래도, 루나가 하고 싶은 일에 족쇄가 되는 게, 혹시 나라면…… 난 신경 쓰지 말고, 네 인생을 위한 선택을 해 줬으면 해."

뒷좌석의 두 사람이 이상하게 조용해서 백미러로 확인하자, 두 사람은 각자 창문 쪽으로 머리를 기댄 채 자고 있었다. 술이 들어간 탓일까.

살짝 안도하며, 나는 작은 목소리로 루나에게 말했다.

"계속 좋아할 거니까. ……어떤 루나든. 어디에 있든."

"류토…….""

루나가 목소리를 떨었다.

불현듯 조금 전 닛시가 했던 말이 떠올랐다.

—믿는 수밖에 없겠지. 믿고, 주는 것밖에, 내가 할 수 있는 일은 없어.

아아, 그런 것일지도 모른다.

사람의 마음은 억지로 가지려고 하면 반드시 문제가 생긴다. 아무리 가까운 사이라도, 타인이 100퍼센트 자신의 뜻대로 되는 일은 결코 없기 때문이다.

그러니까.

만약 듣고 싶은 말이 있다면, 그것을 먼저 상대방에게 보낸다.

그렇게 하는 수밖에 없는 것이다.

그 사실을 깨달은 닛시에게 절로 감탄이 나왔다.

하지만 그렇게 말할 수 있게 되기까지 마음속으로 얼마나 야마나의 마음을 가지고 싶어 했을까.

그것을 생각하자 안쓰러운 기분이 들었다.

뒷좌석의 두 사람이 일어날 기미를 보이지 않아서, 나는 고속도로로 들어서고 나서도 휴게소에 들르는 대신 바로 귀로에 올랐다.

조수석의 루나는 별로 말이 없었다. 하지만 운전하는 틈틈이 훔쳐본 옆얼굴은 도심의 야경을 받아 하얗게 반짝이고 있어서.

왠지 조금.

낯선 여자처럼 보였다.

◇

"헐, 거짓말이지?! 자는 척을 하고 있다가 진짜로 자 버리다니~ 웃긴다."

루나에게 주소를 입력해 달라고 해 야마나의 집 앞에 차를 세운 뒤 잠을 깨우자, 정신을 차린 야마나가 놀라며 웃었다.

"나도."

닛시도 눈을 뜨고는 쓴웃음을 지었다.

역시 신경을 써 주고 있었구나. 면목이 없다.

"오늘은 즐거웠어. 운전 고마워."

우리들에게 감사 인사를 한 뒤, 야마나가 짐을 챙겨 차에서 내렸다.

"아, 그렇지."

야마나는 가방 안을 뒤적이더니 봉투를 꺼내 차 안의 닛시에게 건넸다.

"자, 이거. 밸런타인의 답례."

"헐, 진짜? 고마워!"

"말은 그렇게 해도 실은 기대하고 있었지?"

"뭐, 그렇지."

야마나의 태클에 닛시는 겸연쩍게 웃었다.

"올해는 직접 만들었어. 선배는 입시 중이고, 일자리도 정해지고 수업도 없어서 죽을 만큼 한가했거든."

"진짜?! 정말 기뻐~."

"참고로 원가는 선배의 밸런타인 초콜릿의 3분의 1이야."

냉랭하게 말하는 야마나에게, 닛시는 티 한 점 없는 미소를 지어 보였다.

"딱히 상관없어. 그래도 엄청 기뻐. 아껴 먹을게."

"……."

그때 야마나가 지은 표정을 보며, 나는 어라 하고 생각했다.

야마나는 미간에 주름을 새긴 채로 조금 난처한 듯하면서도 슬퍼 보이는 표정을 짓고 있었다.

"……."

뭘까, 이 표정은.

그냥 친구에게 보일 만한 얼굴은 아닌 것 같은데.

하지만 야마나는 세키야 씨의 여자 친구고, 이성적으로 좋아하는 사람도 그뿐일 터다.

"……."

단 하나 말할 수 있는 건.

남녀 관계에는 어쩌면 '연인' 말고도 다양한 형태가 존재할지도 모른다는 것이었다.

'연인은 될 수 없어도 소중한 친구'나 '연인이 되고 싶었지만 되지 못했던 친구', 혹은 '연인이 될지도 모르지만 지금은 아직 친구' 같은 형태가.

그리고 그런 이성의 '친구 관계'에 그렇게까지 결벽적인 모습을 보일 필요 역시 없을지도 모른다.

어떤 관계든 친구는 친구니까.

과거에 쿠로세와 친구를 그만둘 수밖에 없었던 내가, 이런 생각을 하게 되는 날이 올 줄이야.

나도 조금 성숙해진 걸까? 아니면 조금 때가 타 버린 것뿐인 걸까?

그래도 쿠로세와 아르바이트를 계기로 다시 교류하게 되어 '친구를 소개시켜 달라'는 압박을 받지 않았다면, 나는 오늘 닛시와 이렇게 즐거운 시간을 보내지 못했을 것이다. 학원 알바로 심신이 모두 피폐해져서 하루의 끝에 방에서 천장을 올려다보며 고등학교 때는 좋았지, 라는 생각을 하고 있었을지도 모른다.

쿠로세에게 감사하고 싶다.

그리고 그녀와 나도…… '친구'로서, 우리 둘만의 새로운 관계를 구축해 나갈 수 있기를 바랐다.

야마나가 비록 세키야 씨의 여자 친구이긴 해도, 야마나와 닛시에게는 '친구'로서 둘이서만 쌓아 온 3년 반의 관계가 있다.

그것을 부정할 권리는 아무에게도 없었다.

나에게도, 그리고 세키야 씨에게도.

다음으로 내가 향한 곳은 루나의 집이었다.

"……나도, 루나한테 이거."

집 앞에 도착해 안전벨트를 푼 루나에게, 나는 발치에 놓여 있던 가방에서 봉투를 꺼내 내밀었다.

"헐, 고마워! 화이트데이 선물이야?"

루나는 눈동자를 빛냈다.

"응. 최근에 사러 간 줄은 몰라서, 나도 샹드플뢰르에서 사 버렸어. 미안."

"엥, 전혀 신경 쓸 필요 없어! 엄청 좋아하니까. 선물을 받게 돼서 기뻐!"

바로 봉투 안을 들여다보며 기뻐하는 얼굴을 했다.

"아, 이거 내가 갔을 때는 품절 돼서 못 샀던 건데! 너무 좋다~!"

루나는 사람을 기쁘게 하는 데는 천재다.

이렇게 멋진 여자는 두 번 다시 만날 수 없을 거라 생각했다.

소중히 아끼자.

만날 수 없게 돼도, 나는 계속 루나만 마음에 품을 것이다.

그런 결의를 가슴에 품고 루나를 배웅한 뒤.

◇

마지막으로 닛시를 차와 함께 집까지 바래다주고 혼자 전철로 돌아오는 지경에 이르는 바람에, 스무 살을 목전에 두고 또 조금 술이 싫어져 버린 나였다.

　루나가 먼 곳으로 가 버릴지도 모른다.

　지금도 그렇게 자주 만나는 건 아니지만, 무슨 일이 생겼을 때 못 해도 도보로 달려갈 수 있는 거리에 있는 것과 비행기로도 몇 시간이 걸리는 장소에 있는 건 마음가짐부터 달랐다.

　허전하다.

　하지만 지금은 루나의 그 말을 믿는 수밖에 없었다.

　―나, 류토를 슬프게 만들 일은 하지 않을 테니까.

　지금은 기다리는 수밖에 없다.

　그녀가 뭔가를 결단하고, 그것을 내게 털어놓을 날을.

　그렇게 마음을 비우고 하루하루를 지내고 있던 그때였다.

　"카시마, 이 뒤에 약속 있어?"

　어느 날, 편집부 알바 퇴근 시간이 다 되었을 때 편집자인 후지나미 씨가 말을 걸어 왔다.

　"지금부터 카구라자카의 프렌치 레스토랑에서 카모노하시 선생님과 미팅을 가질 건데, 동석하기로 한 편집장님이 못 오게 돼 버려서, 대신 어때?"

"엇, 카모노하시 선생님이라면, 그 카모노하시 선생님 말인가요?!"

카모노하시 선생님은 일찍이 인기 소년만화 잡지에서 국민적인 히트작을 그린 초 유명 만화가다. 내가 철이 들 무렵부터 이미 완결된 명작 취급을 받고 있었기에 아주 옛날 작품이라 할 수 있었지만, 그 평판은 지금도 퇴색되지 않았다. 현재 크라매거에서는 연재를 하지 않는 것으로 아는데, 이제부터 뭔가가 시작되려는 걸까.

"맞아, 너도 아는 카모노하시 선생님이야."

편집자는 아무리 잘 나간다고 해도 기본적으로 담당 작가를 '선생님'이라고 부르지 않았다. 그래도 카모노하시 선생님쯤 되면 제대로 '선생님'이라고 불리는구나 싶어 감탄했다.

"상관은 없지만…… 저로 괜찮을까요?"

"응. 예약하기 힘든 가게인데 아까우니까 젊은 사람이라도 부르라고 카모노하시 선생님이 먼저 제안하셨거든."

"쿠로세가 아니라요……?"

"그게, 여자애를 데려가면 신경 쓸 게 많잖아. 남자 친구랑 약속이 있을지도 모르고."

저도 여자 친구랑 약속이 있을지도 모르잖아요! 라고 생각했지만, 실제로 없었기에 슬퍼서 말하지 못했다.

"카모노하시 선생님은 좀 많이 거물이기도 하고, 요즘 만화가들 중에는 없는 느낌의 사람이니까. 남자애가 나을 것 같아서."

후지나미 씨가 진지한 얼굴로 말한 내용의 의미는, 카모노하시 선생님 본인을 만나자 자연스럽게 깨달을 수 있었다.

"뭐야, 남자네~."

레스토랑 자리에 등장한 카모노하시 선생님은 후지나미 씨 옆에 앉은 나를 보더니 노골적으로 실망한 표정을 지었다.

"죄, 죄송합니다……."

자리에서 일어나 어찌할 바를 몰라 하는 나를 보며 카모노하시 선생님이 유쾌하게 웃었다.

"아니, 알고 있었어. 아까 후지나미한테 메시지를 받았거든. 새로 들어온 알바생이라며."

카모노하시 선생님은 5, 60대로 보이는 건장한 남성이었다. 맛있는 것을 너무 많이 먹어서인지 예전의 잇치처럼 배가 앞으로 튀어나와 있었다. 몸에 맞는 재킷을 걸치고 갓 목욕을 마친 사람처럼 멀끔한 얼굴을 한 덕에 불쾌한 느낌은 들지 않았다.

"뭐야, 편집자가 되고 싶어?"

인사를 마치고 자리에 앉은 내게 옆에 앉은 카모노하시 선생님이 질문을 던졌다.

원형 테이블이라 셋이서 균등한 간격으로 앉으면 전원이 옆자리에 앉은 셈이 되었다.

"아뇨, 아직 거기까지는……."

쿠로세의 권유로 하게 됐을 뿐이었기에 애매하게 대답하자 카모노하시 선생님은 과장되게 손을 흔들었다.

"그럼 그만두는 편이 나아! 요즘 같은 시대에 출판사라는 진흙으로 만든 배에 올라탔다간 푼돈을 버느라 야망을 펼칠 새도 없이 젊은 시절을 다 날려 버린다고. 후지나미처럼 말이지."

후지나미 씨는 그 말에 아하하 소리를 내며 쾌활하게 웃었다. 어째서인지는 모르겠지만 카모노하시 선생님의 독설에서는 애정이 느껴지는 듯한 기분이 들어서, 오늘 처음 만난 나도 불쾌한 기분이 들지 않았다.

미팅이라고 들었지만 카모노하시 선생님은 구체적인 일 얘기는 하지 않았다. 대신 자신의 히트작이 한창 주목받던 시절의 자랑 섞인 일화며, 최근 만화 시장의 동향에 대한 불평, 요즘 잘 팔리는 작품들의 그 점은 좋다, 이 점은 나쁘다는 이야기에, 자신의 쇠약해져 가는 몸에 대한 자학까지 줄줄이 늘어놓았다.

카모노하시 선생님은 말을 재미있게 할 줄 알았고 후지나미 씨도 이야기를 방해하지 않는 선에서 적절하게 맞장구를 쳤기에, 나는 두 사람의 대화를 라디오처럼 들으며 좀처럼 먹기 힘든 유명 레스토랑의 풀코스를 만끽했다. 특히 미세한 거품으로 된 소스를 끼얹은 생선 뫼니에르가 일품이었다.

예약을 잡기 힘든 프렌치 레스토랑이라는 후지나미 씨의 말대로, 확실히 가게 안은 만석에 가까웠고 아무도 앉아 있지 않은 테이블에도 예약 명패가 놓여 있었다. 4인용 원형 테이블 네 개와 벽 두 면에 테이블석이 나란히 놓여 있는 실내는 공간 전체를 대여해도 50명 정도밖에 들어가지 않으리라. 천장에 있는 샹들리에나 연지색 융단만 봐도 신경을 많이 쓴 고급 레스토랑이라는 인상이었다.

식사가 제법 진행되어 기분 좋은 만복감을 느끼며 코스의 메인인 흑모 와규 필레를 먹고 있었을 때였다.

가게의 문이 열리더니 새로운 손님이 에스코트를 받으며 들어왔다. 비어 있던 벽가의 테이블석에 앉은 그 남녀 일행을 무심히 힐끔 거렸다가.

"……."

뭔가 석연치 않음을 느끼고는 그 여성을 다시 쳐다보고 말았다.

그리고 시선을 고정했다.

그것은 타니키타였다.

2년 동안 못 본 사이에 타니키타는 분위기가 조금 변해 있었다. 전에는 패셔너블한 개성파 갸루라는 인상이었다면, 지금은 그때보다 복장과 머리 모양이 여성스러워진 기분이 들었다.

하지만 그 얼굴은 틀림없는 타니키타였다.

같이 있는 남자는 3, 40대는 될 것 같은 점잖은 인상의 어른이었다. 이쪽에 등을 돌리고 있어서 얼굴은 잘 보이지 않았지만, 주름 하나 없는 정장의 등 부분에는 고급스러운 광택이 돌고 있었다.

연인일까?

딱히 그래도 이상한 건 아니지만, 그런 것치고는 어째 분위기가 서먹서먹했다.

"감사합니다."

음료 메뉴판을 건네받으며 타니키타가 그렇게 말했다.

상사인가?

하지만 타니키타는 2년제 패션전문학교에 진학했으니 아직 학생일 터였다.

"아하핫! 너 그건 말이지, 돈이야, 돈!"

그때, 무슨 얘기 중이었는지는 모르겠지만 카모노하시 선생님이 한층 큰 소리로 웃음을 터뜨렸다. 레드 와인이 꽤 들어가서 기분이 좋은 눈치였다.

그 목소리에 이끌려 타니키타가 순간 이쪽을 보았다.

본능적으로 큰일이다, 라는 생각을 하며 눈을 피했다.

하지만 잠시 뒤 시선을 되돌리자…… 타니키타가 얼어붙은 듯한 표정으로 나를 보고 있었다.

"왜 그래, 아야카?"

타니키타의 맞은편에 있던 남자가 타니키타에게 말을 걸었다.

아야카? 그럼 사람을 잘못 본 건가?

"아, 아무것도 아니에요…… 이 식전주 맛있네요!"

하지만 국어책을 읽듯이 그렇게 말하는 목소리도 틀림없는 타니키타의 것이었다.

◇

카모노하시 선생님과 함께한 미팅이라는 이름의 회식은 2시간을 꽉 채우며 끝났다.

"그럼 오늘은 이만 가 볼게. 요즘은 밤까지 잘 못 놀겠더라고. 여러 의미로 말이야, 으하하!"

그렇게 말하더니 카모노하시 선생님은 가게 바로 앞에 세워져 있던 택시를 타고 돌아갔다.

"……미팅, 이래도 되는 거예요?"

내가 그렇게 묻자 후지나미 씨는 살짝 난처해 보이는 미소를 지었다.

"선생님은 말이지, 더는 만화를 그릴 생각이 없어서. 그래도 이렇게 가끔 뵙고 하면, 혹시라도 변덕이 생겨서 좀 그려 봐도 되겠다는 생각을 하셨을 때 우리 출판사에 연락해 줄지도 모르잖아."

"……편집자는 그런 일도 하는군요."

"뭐, 그렇지. 결국 사람과 사람의 관계로 형성되고 있는 업계니까. 어떤 일이든 다 그렇겠지만."

역을 향해 걸음을 떼며 우리들은 얘기를 이어갔다.

"카시마는 편집자가 되고 싶지 않아?"

"……아뇨, 그게, 정말로 쿠로세가 울며 매달려서, 도우미라고 할까…… 그런 생각까지는 하지도 못하고 와 버린 거라서요."

"……그래도 잘 맞을 거라고 생각해. 너 같은 애라면."

횡설수설하는 내게 후지나미 씨가 온화한 미소를 지어 보였다.

"작가란 성격은 저마다 제각각인 것 같아도 다들 근본은 섬세하고 상처 받기 쉬운 사람들이거든. 금욕적이거나 까다로운 사람도 있지만 공을 들여 소통했는데도 마음을 열지 않는 사람은 보기 드물어."

"……그런가요."

"이야기랑 똑같아. 사람을 읽어내는 거지. 그 사람의 작품과 사고방식, 사람됨에서 그동안 살아온 인생을 상상하고, 그 작가성을 이해하는 거야. 그래야만 비로소 그 사람이 그릴 수 있을 만한 것, 본인도 미처 깨닫지 못하고 있지만 그리고 싶다고 생각할 만한 걸 제안할 수 있어."

"……심오한 일이네요."

"뭐, 나도 그 영역에 도달하려면 아직 한참 멀었지만 말이지."

진지하게 말해 버린 쑥스러움을 감추듯 후지나미 씨는 장난스러운 표정을 지었다.

"그런데 있잖아, 카시마 넌 쿠로세랑 무슨 관계야? 설마 사귀는 사이야?"

"아뇨, 아니에요!"

오해받고 싶지 않은 마음이 앞서서 저도 모르게 큰소리를 내고 말았다.

"쿠로세의 쌍둥이 언니가 제 여자 친구라서요."

내 설명에 후지나미 씨가 납득한 얼굴을 했다.

"앗, 그랬구나. 오오~. 부러운데……. 쌍둥이면 언니 쪽도 미인이겠지. 그런 여친을 갖고 싶어."

"……쿠로세가 남자 친구를 모집 중이라던데요?"

부추기듯 말한 내게 후지나미 씨가 당황한 얼굴을 했다.

"엥, 그게 무슨 뜻이야?"

"저한테 '괜찮은 사람을 소개시켜 달라'고 매일 시끄러워요. 그래서 얼른 남자 친구를 만들었으면 해서요."

후지나미 씨도 성실하고 바람 같은 건 피우지 않을 듯한 사람이다. 나에게는 이제 개인적인 인맥이 없기에 쿠로세가 가까운 곳에서 조달하도록 돕는 수밖에 없었다.

후지나미 씨는 "그렇구나……. 그래도 대학생 알바한테 손을 대는 건 좀……." 하고 중얼거리긴 했지만, 영 싫지만은 않은 눈치였다.

"그럼 난 일이 조금 남아 있어서 편집부로 돌아갈게. 수고 많았어."

역에 도착하자 후지나미 씨는 그렇게 말하고는 역을 지나쳐 걸어갔다.

"고생하셨습니다."

혼자 남은 내가 다시 개찰구로 향하려던 그때.

"카시마!"

등 뒤에서 목소리가 들려와 뒤를 돌아보자.

타니키타가 그곳에 있었다.

"엇, 식사 중이었던 게……."

"중요한 전화가 왔다고 하고 빠져나왔어. 그런 건 됐으니까."

타니키타는 무시무시한 얼굴을 하고 있었다. 또 이렇게 보니 그녀의 분위기는 고등학교 때와 달라진 게 없는 듯했다.

"아까 본 거, 루나랑 마리메로한테 말할 셈이야?"

"……타니키타가 싫으면, 오늘 만난 건 아무에게도 말하지 않을게."

대체 무슨 일일까…… 라고 생각하며 나는 신중하게 대답했다.

"말해 두지만, 나 '성인'은 안 하니까."

"서, 성인……?"

"식사만 같이 하면 5천 엔에서 2만 엔 정도를 받을 수 있어. 식사 비용을 제외하고."

그녀가 무슨 말을 하는 건지 전혀 알 수가 없었다.

"……그, 그런 일을 하고 있어? 스타일리스트가 아니라?"

아르바이트 같은 건가 싶어 물어보자, 타니키타의 미간에 꽉 주름이 졌다.

"무슨 소릴 하는 거야? 갑자기 스트일리스트로 먹고 살 수 있을 리가 없잖아."

그 당시와 똑같은 기세로 나를 노려보며 쏘아붙인다.

"꿈과 현실은 달라. 카시마 너처럼 스펙 좋은 남자는 모르겠지만."

하고 싶은 말만 한 뒤 타니키타는 내게서 등을 돌렸다.

"그럼, 그런 걸로 알고."

그리고는 비탈길 쪽으로 돌아갔다.

"……뭐, 뭐야……."

나는 불합리한 기분에 사로잡힌 채, 잠시 역 앞에 멍하니 서 있고 말았다.

돌아오는 전철 안에서 '성인'으로 검색하자 다음과 같이 나왔다.

육체관계를 맺는 원조교제를 말함.

"원조교제······."

저도 모르게 입속에서 중얼거리고 말았다.

거짓말이지?! 그 타니키타가?

고2 때 루나에게 원조교제 의혹을 품고 나에게 의논하러 왔던 그녀가 떠올랐다.

—보통 캬바쿠라처럼 남자한테 돈을 뜯어내는 직종에는 갸루가 많다고 생각하지만, 난 캬바쿠라도 원조교제도 할 생각 없어.

그런 말도 했었는데.

요 2년 동안, 그녀에게 대체 무슨 일이 있었던 걸까.

◇

그런 와중에, 쿠지바야시에게서 같이 식사를 하자는 제의가 들어왔다.

"카시마 공. 잘 와 주셨소이다."

내가 5교시 강의를 듣는 날, 대학 근처의 이탈리안 패밀리 레스토랑에서 우리들은 합류했다.

"쿠지바야시가 먼저 말을 걸어 주다니 별일이네."

우리가 점심시간에 학생 식당이 아닌 곳에서 만나는 경우는, 대부분 내가 그에게 먼저 식사를 하자고 말을 걸었을 때였다.

"음, 뭐, 그게……."

테이블 자리 맞은편에 앉은 나를 보며, 쿠지바야시가 웅얼거리는 소리를 냈다.

"……지난번에 소생이 보인 태도에 대해 사과하고 싶었소."

"엥?"

설마 쿠로세한테 2시간 동안 모리 오가이 얘기를 한 것 말인가? 아직도 그걸 마음에 두고 있다니, 참 고지식한 사람이었다.

"됐어. 쿠로세도 이젠 신경 쓰지 않고 있을 거야."

"……."

농담하듯이 가볍게 넘겼지만 쿠지바야시는 떨떠름한 표정을 짓고 있었다.

요리가 오고 나서도 그는 좀처럼 입을 열지 않았다.

"……정말로, 면목이 없소."

뜨끈뜨끈한 밀라노풍 도리아가 눈앞에 있는데도 쿠지바야시는 스푼을 들려 하지 않았다.

"아니, 그러니까 괜찮다고."

그가 이렇게까지 말하자 되레 나까지 미안해지기 시작했다.

"오히려 나야말로 미안. 쿠지바야시 네가 여자를 소개받는 데 관심이 없다는 걸 알고 있었는데 말이야. 와 줘서 고마웠어. 그러니까 정말 신경 쓰지 마."

나도 치킨 디아볼라를 먹고 싶었지만, 혼자서 식사를 시작할 수도 없는 노릇이었다.

"……오."

"응?"

그가 뭐라고 말했지만 알아들을 수 없었기에 되물었다.

"……관심이 없는 건…… 아니었소."

쿠지바야시는 꾸물거리며 고개를 숙인 채 중얼거렸다.

"단지, 좀 더 평범한 여인일 줄 알았기에……."

"뭐? 쿠로세가 그렇게 이상했어?"

뭐, 살짝 별난 구석은 있기는 하지만, 처음 만난 사람도 알 정도 같지는 않았는데.

"……그런 뜻이 아니라…… 너무 귀여웠어."

문어체로 말하는 것도 깜빡한 채 쿠지바야시가 툭 중얼거렸다. 눈을 내리깐 얼굴의 뺨 주위가 붉게 물들어 있었다.

"얼굴을 본 찰나, 넋을 잃고 말았소. 어떻게든 내 뛰어남을 과시하지 않으면 우위를 점할 수 없을 거라 생각했지. 그렇게라도 하지 않으면, 그녀의 눈앞에 앉아 있을 수조차 없었을 것이오……."

"……우, 우위는 또 뭐야……? 그냥 대등하면 안 되는 거야?"

쿠지바야시의 기세에 압도되는 것을 느끼면서도 그렇게 말하자 그는 완강히 고개를 저었다.

"갖고 싶은 암컷 앞에서는 우수한 개체임을 증명해 보이고 싶은 것이 동물들의 세계에서 수컷의 섭리라오."

"……그, 그렇, 구나……."

많이 둘러서 오긴 했지만, 쿠지바야시가 오늘 무슨 얘기를 하고 싶어서 나를 불러낸 건지 점점 이해되기 시작했다.

쿠지바야시는 늘 커플들을 바보 취급하며 자학을 일삼고 있지만, 사실은 남녀 교제에 관심이 없는 게 아니었다. 그래서 내 소개를 받아들였다.

하지만 소개팅 자리에 나타난 쿠로세가 너무나도 미소녀라서, 취향이었던 나머지 당황하는 바람에 어떻게든 나름대로 자신을 어필해 보려고 분투한 결과가 '2시간 모리 오가이'였던 것이다.

그 일을 변명하고 싶었던 거다.

아마 쿠지바야시 스스로도 '실패했음'을 직감했을 것이다. 눈앞에서 그녀의 기대감이 수직 하락해 가는데도 눈치채지 못할 만큼 타인의 감정에 둔감하지는 않으니까. 하지만 경험이 부족한 탓에 중간에 궤도를 수정하지 못한 채 그대로 완주해 버렸겠지.

자기혐오 때문에 한동안 고집스러운 태도를 보이다가, 이제야 솔직해지기로 한 모양이었다.

"쿠로세 아무개 여사에게 전달해 줬으면 하오. 일전에는 실례가 많았다고……. 그리고, 소생의 이름은 쿠지바야시 하루쿠라고."

"으, 응. ……알았어. 전달해 줄게."

쿠로세 안에서 쿠지바야시가 이미 지나간 사람이 됐다는 얘기는 지금 이 자리에서는 알리기 힘들었다.

"그런데, 그녀의 이름은 뭐라고 하오?"

"쿠로세 마리아야. 바다(海)를 사랑(愛)한다고 쓰고 '마리아'."

"흠. 기리사독 성모의 이름이구려."

기리사독…… 기독교를 말하는 건가. 쿠지바야시와 대화할 때는 가끔 머리를 써야 한다.

"하면, 귀군의 여자 친구의 이름은?"

"달(月)을 사랑한다, 라고 쓰고 루나…… 라고 해."

그러자 쿠지바야시는 감탄한 기색으로 눈썹을 치켜올렸다.

"호오. '달'과 '용'이라.* 둘도 없는 조합이구려. ……실로 기적이라 할 수 있소."

"엥?"

쿠지바야시가 깊이 감동한 눈치였기에 나는 어리둥절해했다.

달과 용, 이라는 건 루나와 내 이름의 한자를 말하는 거겠지만.

"둘 다 '흐릿한 것'을 가리키지. 달은 은은하게 빛을 발해서 윤곽이 선명하지 않고, 용은 가공의 생물이라 정체를 알 수 없소. 그래서, 이 두 개의 한자를 조합해 '흐릿할 롱(朧)'이라고 적는다오."

그랬구나. 문학부 학생으로서 부끄럽지만, 미처 몰랐다.

"……그, 그건 좋은 일이야? 나쁜 일이야?"

초조해져서 묻는 내게 쿠지바야시는 의젓하게 고개를 저었다.

"좋고 나쁨은 소생이 알지 못하는 것이나, 적어도 소생은 마음이

---

* 류토의 '류'는 한자로 용(龍)이라고 쓴다.

움직이는 것을 느꼈소."

그리고는 그렇게 말하며 나를 불쑥 쳐다보았다.

"귀군들의 이름에서는, 운명적인 한 쌍 같은 느낌이 드는구려."

"……."

우리들의 사랑은 결코 운명적인 것이 아니었다.

그날, 루나가 나에게 샤프 펜을 빌리지 않았다면. 내가 잇치, 닛시보다 시험 점수가 나빴다면…….

무엇이든 조각이 하나라도 결여되었다면, 나와 루나는 지금도 전혀 접점이 없는 생판 남인 채로 살고 있었겠지.

하지만, 만약.

이 세상에 태어났을 때 딱 한 번만 받을 수 있는 선물이 우리들의 인연의 복선이 되었다면.

어떤 인생을 살더라도, 내가 마지막으로 다다를 골은 루나였을지도 모른다.

"……."

그렇게 생각하자 후쿠오카 정도는 별것도 아니라는 마음이 들기 시작했다.

아무리 먼 거리도, 우리들을 갈라놓지는 못하리라.

우리들은 운명이 편을 들어 주고 있으니까.

"……고마워, 쿠지바야시."

용기를 준 친구를, 감사의 마음을 담아 바라보았다.

"쿠로세한테 전달해 줄게. 아까 했던 말……."

그때, 스마트폰이 진동해서 확인하자 마침 쿠로세로부터 연락이
와 있었다.

> 지금 알바 중인데, 후지나미 씨가
> 일이 끝난 뒤에 밥을 사 주겠다고 하네.
> 카시마도 올래?

"……."

그렇구나. 후지나미 씨, 움직이기 시작했구나…….

내가 부추겨 놓고 훼방을 놓을 수는 없었다.

> 오늘은 친구랑 약속이 있으니까
> 후지나미 씨한테 잘 말해 줘.

"……."

쿠로세가 후지나미 씨와 잘되면 쿠지바야시에게 만회할 기회는
돌아오지 않는다.

"……왜 그러시오? 카시마 공."

아무것도 모른 채 홀가분한 표정을 짓고 있는 쿠지바야시에게 나
는 속으로 '미안'이라고 사과했다.

그리고는 벌써 식기 시작한 닭고기에 나이프를 찔렀다.

◇

다음 날, 알바를 하러 간 나는 타이밍을 잰 뒤 쿠로세에게 말을 걸었다.

"어제는 어땠어?"

"응?"

쿠로세는 순간 어리둥절해하더니 '아아' 하고 대답했다.

"밥은 맛있었어. 카시마도 같이 갔으면 좋았을 텐데 말이야."

"그렇구나……."

하지만 내가 궁금했던 건 그런 게 아니었다.

"후지나미 씨랑 무슨 얘기를 했어?"

"음, 평범하게 일 얘기? 아, 사랑 얘기도 살짝 들어 버렸어."

"엑, 그, 그랬어?!"

흠칫하는 내게 쿠로세는 별로 감흥이 없는 얼굴로 말했다.

"후지나미 씨, 몇 년째 여자 친구가 없다나. '친한 이성 친구가 생겨도 늘 좋은 사람으로 그친다'길래, '왠지 알 것 같다'고 대답했더니 조금 침울해하더라고. 그렇게 심각한 고민이었던 걸까?"

"……그, 그렇구나……."

이 모습을 봐선 쿠로세는 후지나미 씨를 이성으로 인식하지 않는 듯했다.

쿠지바야시에게는 좋은 소식일지도 모른다.

"……있잖아. 전에 소개했던 내 친구…… 쿠지바야시, 기억해?"

"아. 모리 오가이 얘기를 하던 사람 말이지. 그 사람이 왜?"

"……이름, 말한다는 걸 깜빡했대. '쿠지바야시 하루쿠'라고 해. 맑은 하늘이라고 해서 청공(晴空)이라고 써."

"흐응, 그렇구나."

하지만 쿠로세의 대답은 시큰둥했다.

"그 일은 이미 끝났으니까, 다음 사람은 아직이야?"

"……미, 미안. 내 인덕이 조금 부족해서……."

여러 모로 틀렸다는 생각에 화제를 바꾸려다 불현듯 타니키타가 떠올랐다.

"……그러고 보니 쿠로세는 졸업하고 나서도 타니키타랑 만나고 있어?"

"아카리? 응. 자주 만나서 놀았어. 많을 때는 주에 한 번 이상 만났지."

쿠로세가 겨우 평소 때의 얼굴로 돌아왔다.

"하지만 2학기가 되고 나서는 만난 적이 없네. 취업 준비로 바빠질 거라고 말하길래, 나도 왠지 미안해서 같이 놀자는 얘길 안 했거든. 그쪽에서도 감감무소식이고. 슬슬 연락해 볼까나."

"……그랬구나."

"그런데 타니키타는 갑자기 왜?"

쿠로세의 물음에 나는 순간 당황했다.

"아, 그게. 잘 지내고 있을지 궁금해서."

"그래? 의외다."

쿠로세는 눈을 크게 뜨며 고개를 갸웃거렸다.

"카시마는 아카리 같은 타입을 불편해하는 줄 알았어."

"엥?"

"나도 처음엔 조금 압도당하긴 했지만……."

쓴웃음을 지으며 쿠로세가 시선을 내렸다.

"아카리, 그래 보여도 제법 공격에 약한 구석이 있거든. 그게 인간
미가 느껴져서 어쩐지 맘에 들더라고."

"……."

그렇구나.

쿠로세가 정곡을 찌른 대로 타니키타는 나에게 조금 거북한 유형
이었기에 의외라는 생각이 들었다.

그때부터 그날은 뭘 해도 타니키타가 마음에 걸려 일이 손에 잡히
지 않았다.

─꿈과 현실은 달라. 카시마 너처럼 스펙 좋은 남자는 모르겠지
만.

그녀가 내게 쏘아붙인 말이, 납으로 된 탄환처럼 가슴에 깊이 박
혀 있었다.

고교 시절, 피라미드의 위쪽에 있었던 건 아무리 생각해도 나보다
타니키타였다.

지금도 그 위치가 역전됐다는 생각은 들지 않는데.

그녀는 왜, 그렇게 생각하게 됐을까.

그리고 어쩌다 원조교제를 하게 된 걸까.

"······."

나는 라인을 켜서 친구 목록을 검색했다.

그리고 '서바게 모임'이라는 그룹에서 'A.T'라는 계정을 선택해 메시지를 보냈다.

◇

"······뭐야. 이런 곳으로 불러내고."

다음 날 낮, 패밀리 레스토랑에서 내 앞에 앉은 타니키타는 무뚝뚝한 얼굴을 하고 있었다.

"······아, 아니, 그게. 얼마 전에 내가 본 게······ 뭐였을까 싶어서."

"그래서 말했잖아. 그냥 차를 마시고 밥만 먹었다고. 그 이상은 안 했으니까."

타니키타는 팔짱을 낀 채 뻔뻔한 태도로 대꾸했다.

"그날 받은 건 만 엔이었고 가게를 나간 뒤 역에서 해산했어. 자, 이만하면 설명이 다 됐을까?"

"그건······."

마음을 굳게 먹고 나는 말했다.

"워, 원조교제······ 라는 거······ 맞지?"

타니키타는 잠시 숨을 삼켰지만, 나를 쳐다보며 어색하게 입을 열었다.

"……그런데."

"왜?"

고등학교 때가 떠올라 나는 조급하게 캐물었다.

"왜, 그런 걸……."

"돈이 필요하니까. 그것 말고 그 일을 할 이유가 있어?"

"그래도 그렇지……."

"살려면 다들 필요하잖아, 돈은."

한숨과 함께 말을 토해내며 타니키타가 팔짱을 풀었다.

"……나도 말이지, 처음엔 카페 같은 데서 일했어. 하지만 기껏 젊은 시절을 떼다 바쳐서 1시간을 일해 봤자 프라프치노 한 잔을 마시고 편의점에서 껌을 사면 그걸로 끝이잖아. 젊은 여자애가 도쿄에서 멋을 부리면서 생활하려면 돈이 너무 많이 든다고. 동경하는 브랜드 가방은 그림의 떡이야. 학교 과제도 많아서 알바 시간을 막 늘릴 수도 없고."

"그래도 졸업해서 어엿한 스타일리스트가 되면……."

내 말에 타니키타는 상처 입은 듯이 시선을 피했다.

"맞아. 그런 희망이 있었다면, 지금도 착실하게 노력하고 있었겠지."

문득 시선을 든 타니키타가 가게 안을 둘러보았다.

평일 한낮을 지난 패밀리 레스토랑은 늦은 점심을 먹는 사람과 차를 마시는 사람들로 북적거리고 있었다. 타니키타의 희망으로 시부야에서 약속을 잡았는데, 이 뒤에 또 '스폰서'와 약속이라도 있는 걸까 싶었다.

"1학년 때, 졸업생 선배의 소개로 스타일리스트의 어시스턴트를 한 적도 있었어. 끔찍했어. 대여한 옷 몇십 벌을 전부 주름 하나 없도록 다림질하고, 현장에서는 아침부터 밤까지 계속 뛰어다니고, 툭하면 호통에 시달리고. 끝난 뒤에는 옷을 모두 반납하러 가느라…… 철야가 기본이었지. 사흘 내내 샤워도 못 했어. 패셔너블한 직업인데 전혀 패셔너블하지 않았어. 알바비는 카페보다 더 쌌고. 진짜로 인권이라곤 없더라."

그렇게 말하더니 타니키타는 자신이 입고 있는 옷을 보았다. 고등학교 때보다 여성스러워진 복장은 느낌이 쿠로세와 살짝 비슷해 보였다.

"이 옷과 가방도…… 더 나이가 들면 어울리지 않을 거야. 내 젊음은 지금뿐이라고. 그런 귀중한 시기에, 일에 혹사당하느라 너덜너덜해지고, 귀여운 옷을 입을 수도 없다니…… 도저히 참을 수가 없었어."

"그래도 타니키타는 그런 스타일리스트 일을 동경하고 있었던 것 아니었어?"

"그때는 현실을 몰랐으니까. 알고 나니 동경할 수 없었어."

자조하듯이 웃으며 타니키타가 다시 내게서 시선을 피했다.

"내가 동경했던 세계는 내가 상상하던 모습과는 전혀 달랐어. 내가 뭘 위해 노력하고 있는지 알 수 없게 돼 버렸어. 그때…… 동기가 같이 라운지 알바를 하자고 하더라고."

"라, 라운지? ……그게 뭐야?"

"고급스러운 카바레 클럽 같은 느낌이려나. 나도 잘은 모르지만. 카바레 클럽보다는 레벨이 높은 애가 많다나 봐."

타니키타는 고개를 모로 기울이며 짧게 대답했다.

"그 애는 늘 반짝거리는 예쁜 옷을 입고, 내가 사고 싶어 하던 브랜드 가방을 몇 개나 가지고 있었어. '아카리라면 이 정도는 쉽게 벌 수 있다'고 말해 줬지만, 갑자기 본격적인 유흥업에 발을 담그기는 조금 무서워서……. 망설였더니 '손님 중에 차랑 밥 먹는 것만 같이 해 줄 아가씨를 찾는 사람이 있는데, 괜찮으면 만나 보지 않겠냐'고 해서, 거기서부터 시작한 거야."

"……아아, 그 심정은 왠지 좀 알 것 같아."

"뭐?"

당돌하게 공감을 표시한 나를 타니키타는 눈썹을 찡그리며 바라보았다.

"나도 학원 강사 알바를 하고 있는데, 바로 단체 수업을 할 자신은 없어서 학생이랑 1대1 개별지도 학원으로 했거든."

그러자 타니키타의 표정이 풀렸다.

"……그랬구나. 그럼, 그거랑 같은 걸 수도 있겠다."

어깨에 힘이 빠진 듯이 눈을 내리깔며 픽 웃었다.

"카시마는 평범한 것처럼 생겨선 정말 특이해. 고등학교 때부터 생각했던 거지만."

타니키타의 말에 그렇게까지 이상한 소리를 했다고는 생각하지
않았던 나는 당황했다.

"그, 그런가?"

"뭐, 진짜로 그냥 평범한 사람이었으면 루나랑 사귈 수도 없었으
려나. 심지어 지금은 호오 보이잖아. 루나도 안목이 제법이라니까."

스스로 결론을 내듯 혼잣말하며 타니키타는 고개를 숙인 채 미소
지었다.

"루나가 부러워. ……나한테도 그런 남친이 있었으면 좀 더 자신
을 소중히 아낄 수 있었을지도 모르는데."

"……최애 덕질은? 그 뭐냐, K-POP의……."

내가 질문하자 타니키타는 딱딱한 표정으로 입을 열었다.

"전원 병역으로 활동을 쉬는 중이야. 따로 관심이 가는 그룹도 없
고, 바빠서 발굴도 못 했어."

"……병역……."

일본인에게는 강렬하게 다가오는 단어에 그저 입을 다물 수밖에
없었다.

결국 그다음부터는 잡담 수준의 얘기밖에 할 게 없어서, 나와 타
니키타는 눈앞의 음료를 다 마신 뒤 계산대로 향했다.

"아, 그렇구나."

계산을 하는 단계에 이르러 타니키타는 퍼뜩 놀란 듯이 가방을 뒤

적거렸다. 그 숄더백에는 나도 알고 있는 명품 브랜드의 로고가 프린트돼 있었다.

"……남자를 만나러 나와서 스스로 지갑을 꺼내는 것도 오랜만이네."

가방에서 꺼낸 같은 브랜드의 지갑을 바라보며 타니키타는 감개무량한 듯이 혼잣말했다.

"앗, 미안."

불러낸 건 나니까 드링크 바 비용 정도는 냈어야 했나 싶어 쩔쩔매고 있는데, 타니키타는 '아니' 하고 고개를 저었다.

"친구니까 내가 사게 해 줘. 얻어먹으면 루나한테 미안하잖아."

처음보다는 많이 상냥해진 얼굴로 타니키타가 미소 지었다.

"고등학교 때는 즐거웠지. 다 같이 온갖 일들을 하면서 놀았잖아."

타니키타는 계산을 마치더니 가게 문을 열며 그렇게 말했다.

"……잇치에 대한 마음은, 이미 정리했어?"

용기를 내어 물어보자 타니키타는 묵묵히 고개를 저었다.

"……완전 취향인걸. 지금도 당연히 좋아하지."

"그럼……."

"지금도 온스는 계속하고 있어."

아무렇지 않게 무시무시한 소리를 하며 타니키타는 입술을 깨물었다. 온스=온라인 스토킹. 즉, 웹에서 얻을 수 있는 개인 정보는 쫓아다니고 있다는 뜻이다.

"그래도, 이젠 만날 수 없겠지. ……이런 내 꼴로는."

시부야 거리로 나오자 교복을 입은 여고생 세 사람이 스마트폰을 보고 깔깔 웃으며 우리를 스쳐 지나갔다.

"돌아가고 싶어. ……고등학교 때로."

그 뒷모습을 눈으로 좇으며, 타니키타는 눈을 가늘게 뜬 채 중얼거렸다.

"예쁜 옷을 입고 있지 않아도, 명품 가방을 들고 다니지 않아도…… 나는, 그 시절의 '아카리'를 좋아했어."

그렇게 말하는 목소리가, 살짝 미적지근한 공기가 감도는 3월의 흐린 하늘로 빨려 들어갔다.

제 4 장

그런 와중에, 내 앞으로 충격적인 알림이 날아들어 왔다.

 의대, 한 곳에 합격했어.

홋카이도 쪽이야.

"호, 홋카이도오……?!"

◇

"으아아아아아앙!"

전화기 너머로 울부짖는 야마나의 목소리가 들려온다.

"……고마워, 류토. 내일 알바를 쉬겠다고 해 줘서."

나와 통화 중이던 루나가 조심스러운 기색으로 내게 말했다.

"괜찮아. 애초에 학생도 한 명뿐이었고, 잘 얘기해서 다른 요일로 바꿨으니까."

시간대는 벌써 늦은 밤이었다. 지금 야마나가 루나의 방에 있다는 건 오늘밤은 자고 갈 거란 뜻이겠지.

"그런데 괜찮겠어? 출발 전의 귀중한 데이트를 단둘이 즐기지 못

해도…….”

“응……. 니콜이 지금 이 상태라서. 나한테 옆에 있어 달라고 말하니까…….”

조금 전 루나에게 연락이 와서 급하게 내일 더블데이트를 하기로 했다. 세키야 씨가 홋카이도로 떠나기 전에 넷이서 추억을 만들기로 얘기가 된 모양이었다.

벌써 3월 하순이 된 시점에, 너무나도 갑작스러운 통보였다.

사실 희소식이라고 해야겠지만, 야마나에게는…….

─나는 딱히, 의사가 될 사람이라서 선배를 좋아하게 된 게 아니라고 말했는데.

─그렇구나……. 선배, 겨우 입시가 끝나는구나.

야마나는 분명 의대가 아니라도 개의치 않았을 것이다. 그보다는 세키야 씨의 입시가 끝나서 지금보다 함께 있을 수 있는 시간이 늘어나기를 바라고 있었다.

그랬는데…… 설마, 홋카이도라니.

나만 해도.

─나, 권역 매니저한테 '후쿠오카점 점장이 되지 않겠냐'는 제안을 받았어.

루나의 거취가 신경이 쓰여 어찌할 바를 모르고 있으니까.

현재 야마나가 느끼는 감정은 어쩌면 내일의 내 심정이 될지도 모른다.

그렇게 생각하자 평정심을 유지할 수 없어졌다.

◇

그런 와중에 다음 날 우리 네 사람이 간 곳은 국내 최대급 테마파크인 도쿄 매지컬 리조트였다. 이번에는 매지컬 랜드 옆에 병설된 매지컬 씨라는, 바다를 모티브로 한 놀이공원에 입장했다.

"꺄~, 오랜만이다~!"

게이트를 지나 놀이공원 안으로 들어가자 루나가 종종걸음을 치며 양팔을 벌렸다.

"마지막으로 놀러 온 게 언제더라? 졸업 때 교복을 입고 입장했던 거 맞지?"

"맞아! 아카리랑 마리아랑 넷이 함께~! 그 뒤로는 처음 와 봐."

"나도~."

야마나는 루나와 대화를 나누며 세키야 씨의 팔에 찰싹 달라붙어 있었다.

야마나와는 바로 며칠 전에도 얼굴을 봤지만, 그때는 닛시가 동행했었기 때문에 닛시에게 왠지 미안한, 외도의 공범이 된 듯한 묘한 두근거림을 느꼈다. 야마나의 남자 친구는 세키야 씨이니 딱히 양심의 가책을 느낄 일은 전혀 아니지만. 살짝 커플로도 보일 만큼 야마나와 닛시의 사이가 좋아 보였던 탓일지도 몰랐다.

도쿄 매지컬 리조트는 고양이 캐릭터를 주역으로 앞세운 글로벌한 테마파크였다. 바로 고양이 귀 머리띠를 사서 다 같이 머리에 꼈다.

"헐, 루나 너무 귀여워!"

"니콜도 엄청 잘 어울리는데?!"

"일단 둘이 찍은 셀카부터 인스타에 올리자."

"그러자! 이 버전 머리띠 완전 귀엽다♡"

두 여자는 신나게 떠들고 있었다. 두 사람이 쓴 고양이 귀 머리띠에는 리본이 달려 있어서 여성스러웠다. 나는 아싸고 세키야 씨처럼 꽃미남도 아니었기에, 태어나서 처음으로 이런 걸 머리에 착용하게 돼서 주눅이 들었다.

—후후, 류토도 잘 어울려♡

나를 보며 기쁜 듯이 그렇게 말해 준 루나가 귀여워서, 이런 것에 기뻐하는 걸 보니 어울려 주길 잘했다는 생각이 들었지만.

"……세키야 씨, 합격 축하드려요."

두 여자가 지구 모양의 오브제 앞에서 사진을 찍고 있는 사이, 나는 세키야 씨에게 말을 걸었다. 약속 장소에서 만날 때부터 야마나가 세키야 씨에게 딱 달라붙어 있어서, 간신히 둘이서 얘기를 나눌 수 있었다.

"응. 고마워."

"하지만 놀랐어요. 홋카이도라니……."

"나도 놀랐어. 모집인원도 적었고, 설마 후기 시험에 붙을 줄은 상상도 못 했거든."

장장 수년에 걸친 장수 생활이 보답받은 것치고 세키야 씨는 차분했다. 원래부터 허세가 좀 있는 사람이라 들뜬 마음을 억누르고 있을 뿐일지도 모르지만, 내가 모르는 복잡한 감정이 있을 수도 있고.

"……정말로 가시는 거네요."

"붙었으니까. 의사가 되는 건 꿈이었고."

"……그렇겠죠……."

루나의 일도 있어서 감상적인 기분이 된 나에게 세키야 씨는 밝은 표정을 지어 보였다.

"방학 때는 이쪽으로 돌아올 거니까, 또 만나자. 여태까지랑 별로 달라지지 않을걸."

"……그러게요."

몇 달에 한 번밖에 만나지 않았던 나에게는 그렇겠지.

하지만 야마나에게는.

매일 만나고 싶다고 생각하는 사람에게 그것은 몇억 광년처럼 느껴지는 원거리 아닐까.

"선배~♡"

그때 야마나가 돌아와서 세키야 씨의 팔에 매달렸다. 늘 보던 닭살 커플 짓이지만 오늘은 어쩐지 애절해 보였다.

세키야 씨는 모레 도쿄의 본가에서 홋카이도로 출발한다. 너무 급작스러워서 이사 업자를 찾을 시간도 부족했기에, 일단 홋카이도로 건너가서 비즈니스호텔에라도 체류하며 살 집을 정한 뒤, 부모님에게 조금씩 짐을 부쳐 달라고 하기로 계획을 세운 듯했다.

"류토."

어느새 옆으로 다가와 있던 루나가 나를 향해 손을 내밀었다. 머리에 고양이 귀를 달고 상기된 뺨으로 웃는 얼굴이 사랑스러웠다.

"……."

쑥스러워서, 코웃음과 닮은 난처한 웃음을 흘리고 말았다. 아는 사람 앞에서 여자 친구와 꽁냥거리는 건, 아싸에게는 아무리 시간이 지나도 익숙해지지 않았다.

그래도 열심히 애써서 그 손을 잡자.

"와아~♡"

루나가 응석을 부리듯 몸을 기대왔다.

알록달록 화려하게 장식된 정면 입구를 지나가며 코를 간지럽히는 향수 냄새로 루나를 느낀다.

그것은 그 시절의 꽃인지 과일인지 모를 향기가 아니라.

어느새 더욱 복잡한 어른의 향기로 변해 있었다.

우리들이 맨 처음으로 향한 곳은 놀이공원 중앙에 있는 놀이기구였다. 화산 내부를 고속으로 달려서 지나가는 롤러코스터로 개원 초기부터 있었던 인기 어트랙션인 듯했다.

오픈 직후라 아직 사람이 많지 않아서, 줄을 서고 20분쯤 기다리자 우리들의 차례가 왔다.

"이거, 꽤 심하게 떨어지잖아. 오랜만이라서 좀 무서울지도…….."

"엇, 그래?"

놀이기구에 앉은 뒤, 두려움이 엿보이는 루나의 얼굴을 보자 나도 덩달아 겁이 났다.

"류토, 안 타 봤어? 매지컬 씨에는 와 본 적이 있다고 하지 않았어?"

"으, 응. ……타 본 적이 있다고 해도, 초등학생 정도 때였으니까 ……."

아싸에게는 남자끼리라도 매지컬 씨에 가고 싶어 할 만한 친구가 없었기에, 어린 시절 가족과 방문했던 기억밖에 없다.

"절규계*는 싫어?"

"아니, 그렇지는 않을 거야…… 아마도……."

중학교 때 아싸 친구들과 하나야시키**에 간 적이 있다. 하나야시키의 롤러코스터를 과연 절규계라고 불러야 할지는 찬반양론이 갈리겠지만, 평범하게 아무렇지 않았던 것 같다.

"오랜만이라 모르겠지만……."

"조금 무서워?"

"아니, 괜찮다고. ……아마도."

그런 대화를 나누는 사이, 정신을 차리자 롤러코스터가 발진하고 있었다.

처음에는 형형색색의 LED가 반짝이는 지저 광산의 신비로운 풍경 속을 중간 속도로 지나갔다.

"후후, 그럼 손을 잡고 있어 줄게♡"

루나가 미소를 지으며 바 위에 놓여 있던 내 손에 자신의 손을 포갰다.

---

* 급격한 커브와 경사, 하강 등으로 탑승자가 비명을 지르도록 설계된 놀이기구의 총칭.
** 일본 다이토구에 있는 놀이공원.

야마나와 세키야 씨는 우리들 앞에 앉아 있다. 남의 눈을 신경 쓸 필요는 없었다.

"……."

나는 바에서 손을 내려 내 무릎 위에서 루나의 손을 고쳐 잡았다.

"……."

루나의 시선이 느껴졌지만, 부끄러워서 옆을 쳐다볼 수 없었다.

그 직후.

"꺄~ 악!"

롤러코스터가 급가속을 시작했고, 앞에 앉은 야마나에게서 비명이 터져 나왔다.

"꺄악!"

옆에 앉은 루나도 신이 난 듯한 비명을 질렀다.

롤러코스터는 그대로 급속도로 나아가 상승하며 순식간에 건물 밖으로 내달렸다.

놀이공원의 원경을 내려다볼 수 있어서, 외국의 거리 같은 이국적인 풍경에 매료될…… 새도 없이.

"꺄~ 악!"

롤러코스터가 급격하게 각도를 꺾어 낙하했다.

루나의 손에 힘이 실렸고, 나도 그 손을 꽉 붙잡았다.

이 손이 떨어지지 않게.

이대로 지구 뒤편까지 떨어진대도, 나는 루나를 놓지 않을 것이다.

당연하지만 롤러코스터의 낙하하는 순식간에 끝나서, 다들 웃는 얼굴로 놀이기구에서 내렸다.

"생각보다 더 많이 떨어져서 무서웠어~."

"니콜, 엄청 소리 질렀지."

"그치만 소리를 지르는 편이 덜 무섭잖아."

"그건 그래~!"

야마나와 신나게 재잘거리던 루나가, 내 옆으로 스윽 다가오더니 손을 잡았다.

"……나는 류토랑 손을 잡고 있느라, 뭣 때문에 가슴이 두근거렸는지 알 수 없었어."

나한테만 들리는 목소리로 속삭인 루나가 나를 올려다보며 웃었다.

"……나한테 아직도 두근거릴 게 남아 있어?"

나도 작은 목소리로 받아쳤다.

루나는 살짝 부끄러운 듯이 미소 짓고는, 내게서 눈을 돌렸다.

"그야, 난 아직, 류토에 대해 다 알지 못하는걸."

"……."

그게 무엇을 의미하는지는 나도 알 수 있었다.

나는 살짝 얼굴을 붉혔다.

◇

"꺄악~, 매직키~!"

놀이공원 안을 걷고 있는데, 루나가 갑자기 새된 비명을 질렀다.

시선을 따라가자 진행 방향에 있는 광장에, 매지컬 리조트의 마스코트 캐릭터 매직키의 인형 옷을 입은 사람이 있었다. 주위에는 스태프와 사진 촬영을 희망하는 사람들로 인파를 이루고 있었다.

"나도 찍고 싶어~!"

"완전 럭키잖아!"

루나와 야마나가 함께 인파를 향해 돌진했다.

먼저 와 있던 사람들의 순서가 지나가기를 기다린 뒤, 두 사람은 매직키 앞에 우뚝 섰다.

"엄청 귀엽다~!"

"허그해 줘, 허그~♡"

"나도~♡"

매직키는 설정상 수컷이었기에, 찰싹 붙어 있는 루나를 보자 조금 속이 부글거렸다. 그런 자신의 옹졸함을 눈치채고 황급히 주의를 딴 데로 돌렸다.

"......"

옆에 서 있는 세키야 씨를 보자, 태연한 얼굴로 자신의 스마트폰을 확인하고 있었다.

"고마워~♡"

"바이바~ 이♡"

두 사람은 끝까지 매직키에게 미소를 흩뿌리며 이쪽으로 돌아왔다.

"기다렸지~!"

"……선배, 혹시 매직키에게 질투한 거야?"

무심히 스마트폰 화면에서 고개를 드는 세키야 씨를 보며 야마나가 장난스러운 미소를 지었다.

하지만 세키야 씨는 담백했다.

"딱히. 어차피 인형 옷 안의 사람, 여자잖아. 키로 봤을 때."

그, 그런 거였나……! 그 말을 듣고 보니 덩치가 작았던 것도 같다.

나는 세키야 씨의 영역에는 한참 미치지 못했다.

"아~! 꿈의 왕국에서 그런 발언은 금지! '안의 사람' 같은 건 없거든?!"

"맞아요! 저건 '매직키'라고요!"

야마나뿐만 아니라 루나에게도 한소리를 들은 세키야 씨가 바로 쭈그러졌다.

"그…… 그렇구나. ……미안."

아무리 통찰력이 있어도 그걸 섣불리 말하면 안 된다는 교훈을 얻었다.

태양이 높이 솟아오르자 살짝 시장기가 돌아서, 우리들은 푸드트럭에서 스낵처럼 보이는 음식을 샀다.

"춘권 핫도그 맛있어~♡"

"저쪽에서 파는 비치볼 찐빵도 사 먹자~♡"

루나와 야마나는 줄곧 흥분해 있었다.

"자, 류토, 아~."

"선배도 먹어 봐~♡"

벌써 몇 번째 주고받는지 모를 대화지만 더블데이트의 이런 점은 여전히 민망하고 적응이 되지 않았다.

그렇게 우리들은 화기애애하게 놀이공원을 즐기고 있었지만, 공원 안이 점점 혼잡해지기 시작하는 것은 체감상으로도, 야금야금 늘어나는 어트랙션 대기 시간으로도 알 수 있었다.

"우와…… 160분을 기다려야 한대."

도착한 놀이기구의 대기열 앞에 표시된 숫자를 보며 루나는 말을 잇지 못했다.

"역시 봄방학……!"

야나마도 할 말을 잃었다.

"헐~, 어떡하지?"

"그래도 이건 타고 싶은데."

"응, 절대 뺄먹을 수 없어~!"

"입장하자마자 여기로 왔어야 했나."

그것은 행글라이더처럼 생긴 탈것을 타고 하늘을 날며 세계여행을 하는 시어터 라이드식 어트랙션이었다. 비교적 최근에 생긴 놀이기구라 오픈하고 몇 년이 지난 지금도 꾸준히 인기가 있는 듯했다.

"어디든 줄을 서야 하니까, 하는 수 없지……."

어플로 다른 놀이기구의 대기 시간을 확인해 봐도 대부분 기본이 1시간이었기에, 우리들은 얌전히 해당 놀이기구 줄에 서기로 했다.

"아~, 팝콘부터 사고 줄을 설 걸 그랬어."

앞줄에 선 입장객 가족의 어린애가 팝콘을 한가득 입에 넣고 있는 모습을 보며 야마나가 말했다. 루나와 야마나는 전에 매지컬 리조트에서 산 팝콘 용기를 집에서 가져온 상태였다.

"아, 내가 사 올게! 니콜, 무슨 맛으로 할래?"

"엥, 나도 갈게."

"괜찮아~. 조금이라도 많이 세키야 씨랑 같이 있고 싶잖아?"

루나의 말에 야마나가 뺨을 붉혔다.

"아…… 고마워. 난 초코로 할래."

"오케이, 다녀올게!"

루나가 팝콘 통 두 개를 갖고 줄을 빠져나간 뒤, 나는 루나와 같이 갈 걸 그랬나 싶어 반성했다. 원래도 눈치가 없어서, 그만 멍하니 있다 타이밍을 놓치고 말았다.

"……영상이라도 볼까?"

더욱 할 일이 없어져 버린 우리들에게, 세키야 씨가 그렇게 말하며 자신의 스마트폰 잠금을 해제했다.

"웅! 그런데 데이터 괜찮아?"

"뭐~, 초과요금이 발생해도 어차피 아버지가 낼 거니까."

세키야 씨는 틱톡을 켜서 야마나와 화제의 영상을 보기 시작했다.

나는 두 사람과 살짝 거리를 유지하면서도 대충 그 화면을 들여다볼 수 있는 위치에 서 있었다.

그렇게 잠시 시간이 지났을 때.

"……저기, 이건 누구야? '마리나'라는데."

세키야 씨의 스마트폰 화면 상단에 표시된 라인 톡의 팝업 창을 보며 야마나가 낯빛을 바꿨다.

"고등학교 때 친구야."

세키야 씨는 태연하게 대답했다.

"여자 맞지?"

야마나의 얼굴에 의심이 서렸다.

나는 어쩐지 심상찮은 분위기를 느끼며, 두 사람에게서 반 발짝 거리를 뒀다.

"그룹 채팅방이니까. 수십 명이나 되는 그룹인데 언제든 누군가는 대화를 나누고 있겠지."

세키야 씨는 가볍게 받아쳤지만, 야마나의 얼굴은 심각 그 자체였다.

"왜 알림을 꺼 두지 않았어?"

"혹시라도 나랑 관련된 얘기가 나올 수도 있잖아. 공부 중일 때는 집중 모드로 바꿔두면 거슬릴 일도 없으니까."

"그럼, 지금도 집중 모드로 바꿔둬."

"아니, 지금 집중할 일이 뭐가 있어서? 그냥 대기 시간이잖아?"

"아니지. 나랑 같이 데이트하는 시간이잖아?"

한 걸음도 물러서지 않는 응수가 이어지다, 그 말에 결국 세키야 씨가 양보했다.

"……알았어."

그렇게 세키야 씨가 스마트폰을 집중 모드로 바꾸고 나서도 야마나의 언짢음은 가라앉지 않았는지.

"……그 이름, 전에도 본 적이 있어. 그전에도 둘만 있을 때 그 애한테서 자주 라인이 왔었지."

바로 지나간 일을 다시 언급하기 시작했다. 틱톡 영상은 이미 뒷전이었다.

"그러니까, 몇 번이나 말하지만 그룹 채팅방에서 오가는 얘기라고. 친한 녀석이랑 수다를 떨고 있는 거라니까."

세키야 씨도 성가셔하는 표정을 지으며 받아쳤다.

"나한테는 공부 중이니까 연락을 자제하라고 했으면서, 그룹 채팅 알림이 뜨는 건 왜 아무렇지 않았어?"

"네가 보내오는 연락에는 제대로 답신을 해야 한다고 생각했기 때문이야. 그룹 채팅방은 하고 싶은 애들끼리 대화를 나누는 거니까 읽고 무시해도 그만이잖아."

"무시해도 그만인 거면 처음부터 알림을 꺼 두면 되잖아."

"그러니까……."

세키야 씨는 반박하는 것도 귀찮다는 듯이 입을 열었다.

그때.

"팝콘 사 왔어~! 거기도 줄이 꽤 되더라~!"

루나가 팝콘 통 두 개를 안고 돌아왔다.

"이래저래 고민하긴 했지만, 역시 시작은 캐러멜 맛으로 하게 된단 말이지~! 자, 아~."

"아……."

친구가 팝콘을 입 앞으로 들이대는 바람에, 야마나는 미묘한 표정 그대로 입을 열었다.

"……응. 역시 캐러멜 맛은 배신하지 않네."

팝콘을 씹는 얼굴에, 겨우 미소가 돌아왔다.

"류토도 먹을래? 세키야 씨도 드실래요?"

루나가 자신의 팝콘 통을 열어 우리들에게 내밀었다.

"앗, 고마워."

"……고마워."

루나가 고른 캐러멜 맛 팝콘에서는 어쩐지 그립고도 안심이 되는 단맛이 났다.

"……이것도 먹을래?"

야마나가 루나에게 받은 자신의 팝콘 통을 열며 세키야 씨에게 권했다.

"……응."

세키야 씨는 조금 어색하게, 그 팝콘을 입으로 가져갔다.

◇

줄을 서서 기다린 어트랙션을 타고 나오자 벌써 저녁이 되어 있었다. 즐겁긴 했지만, 160분을 기다릴 가치가 있었냐고 묻는다면 솔직히 고개가 갸웃거려졌다. 내가 꿈과 마법의 세계에 별로 친숙하지 않은 탓일지도 모르겠다.

저녁 식사를 하기로 하고 가까운 레스토랑에 들어갔다. 이탈리아의 항구마을처럼 조성된 거리 안에 있는 가게로, 메뉴도 피자나 스파게티 위주인 듯했다. 오픈 천장으로 된 건물 2층에는 테라스석이 있어서, 우리들은 그곳에 자리를 잡았다.

이미 해가 진 뒤라 원래라면 서서히 땅거미에 녹아들었을 해변의 건물은, 무수히 장식된 등불들로 오히려 휘황찬란하게 윤곽을 드러내기 시작하고 있었다.

"으~ 음, 배불러!"

넷이서 주문한 피자와 파스타를 대충 나눠 먹은 뒤, 루나가 만족스러운 목소리로 말했다.

"화장실에 다녀올게."

그녀는 가방을 들고 발랄하게 자리를 나섰다.

"어~."

그 모습을 배웅하던 야마나가, 불현듯 뒤쪽 테이블에 시선을 고정했다.

"앗, 저거 되게 귀엽다. 음료수인가?"

나도 주의 깊게 보자 그 테이블에는 알록달록한 매직키 일러스트가 그려진 컵이 놓여 있었다. 분명 음료나 디저트겠지.

"사 와 줄까?"

세키야 씨가 그렇게 말하며 자리에서 일어났다.

"엇, 그래도 괜찮아?"

"괜찮아. ……네 여친 것도 대신 사다 줄게."

뒷말은 나를 향해 하며 세키야 씨가 1층으로 내려갔다.

"엇, 앗, 고맙습…….."

"와~! 루나랑 세트다~♡"

들뜬 목소리로 기뻐하던 야마나가, 불쑥 침울한 표정을 지었다.

"……비위를, 맞춰 주려는 거겠지?"

세키야 씨 말인가.

확실히, 아까 놀이기구의 대기 시간 이후로 두 사람 사이에는 조금 어색한 공기가 감돌고 있었다.

"……불안해. 나랑 다르게 선배는 다른 여자하고도 경험해 봤으니까. 같은 학교 동창들 중에 전 여친도 있는 건 아닐까 싶어서."

세키야 씨의 모습이 완전히 사라진 뒤 야마나는 그런 말을 중얼거렸다.

"…….."

혼잣말로 흘려넘겨도 괜찮았을지도 모른다.

하지만 무슨 말이라도 해 주고 싶다는 감정이 자꾸 나를 닦달해서, 나는 꺼낼 말을 고르기 시작했다.

그도 그럴 것이 야마나가 지금 느끼는 그 감정은, 과거에 내가 품었던 감정이었으니까.

"……나도, 그랬어."

설마 내게서 대답이 돌아올 줄은 몰랐는지 야마나는 의외라는 듯이 나를 쳐다보았다.

"루나랑 막 사귀기 시작했을 때…… 루나한테 그런 불안함을 느꼈던 시기가 있었어."

고2 초여름, 인생에서 제일 새콤달콤했던 그때의 감정은, 지금도 머릿속에 선명히 기억돼 있다.

"내가 처음이라서, 상대방과 대등하게 있을 자신이 없어서……. '루나는 다른 남자랑 경험해 봤으니까 나보다 앞서 있을' 거라는 눈으로 쳐다봤어. ……하지만 그런 선입관은, 눈앞의 상대를 제대로 보는 데 방해가 되거든."

야마나는 테이블에 턱을 괸 채, 흥미로운 기색으로 나를 지켜보고 있었다.

"과거는 지나간 시간이니까…… 지금 눈앞에 있는 상대의 과거를 상상하면서 여전히 그 시간이 계속되고 있는 것처럼 지내봤자, 자신에게도 상대에게도 아무런 보탬이 되지 않아. 나는 루나의 전 남친이 아닌 루나랑 함께 있고 싶은 거니까. ……고민을 거듭한 끝에, 그렇게 생각할 수 있게 됐어."

말을 고르며 천천히 얘기를 마친 나를 야마나는 잠시 말없이 쳐다보았다.

"……넌 있잖아, 참 이상해. 처음 얘기했을 때부터 생각했지만."

그렇게 말하며 턱을 괸 손을 풀고는 살짝 미소 지었다.

"그런데 이젠 알겠어. 그건 '이상한' 게 아니라는 걸. 넌 현명했던 거야. 거기다 바보처럼 착한 녀석이지."

"엇……."

이 상황에서 칭찬을 받을 줄은 상상도 못 했기에 나는 당황하고 말았다.

그런 나를 야마나는 재밌어하는 눈으로 바라보았다.

"난 공부는 못해도 사람을 보는 눈은 있다고 생각하거든."

그렇게 말하고는 눈을 내리깔며 픽 웃었다.

"루나가 널 선택한 이유도…… 선배가 너랑 친구가 된 이유도 알 것 같아. ……부러워."

그 옆얼굴은 그녀가 늘 보이던 강한 표정과는 다르게 얌전했다.

"난 틀림없이, 여자가 아니었다면 선배랑 친해질 일 따위는 평생 없었을 거야."

"……무슨 뜻이야?"

질문하는 나를 보며 야마나는 미소를 지었다.

"사는 세상이 다르다는 뜻. 너도 어느새 그쪽 사람이 돼 있었구나."

"……."

뭐라고 말해야 좋을지 알 수 없어서, 끼어들 타이밍을 놓치고 말았다.

"어리석은 사람도, 좋아서 어리석은 사람을 연기하고 있는 게 아냐. 알면서도 어쩔 수가 없어. 빠져나올 수가 없다고. 어떻게 해야 좋을지 모르니까. 그래서 어리석은 채로 남는 거야."

눈을 내리깔며 그렇게 말한 야마나는, 그 내용과는 반대로 온화한 표정을 짓고 있었다.

"루나도 어리석은 쪽이지만, 너는 다정하니까, 알아듣게 잘 설명해 주겠지, 분명. 나한테 이렇게 얘기해 준 것처럼."

나와 살며시 눈을 맞추며 야마나가 미소 지었다.

야마나는, 어느새 이렇게 잘 웃는 사람이 된 걸까.

아니면…… 그녀는 아무것도 달라지지 않았는데.

우리들의 관계가 처음 얘기를 나누던 때와는 달라졌기 때문일까.

나를 친구의 연인이 아니라…… 친구로 여겨 주게 됐기 때문일까.

"선배한테도 그런 다정함이 있었다면…… 나도 지금보다는 좀 더 숨통이 트이는 것 같았겠지……."

바다에서 불어온 밤바람이 야마나의 곧게 뻗은 생머리를 살랑거리며 흔들었다.

"그래도 좋아하니까. 어쩔 수 없나……."

뺨을 스치는 바람에서는 봄의 방문을 알리는 온기가 느껴졌다.

하지만 그 온기는 눈앞에 있는 이 사람의 마음에는 닿지 않은 듯했다.

"앞으로도 계속 선배를 좋아하려면…… 이 외로움도 견뎌낼 수 있게 되어야겠지……."

바닷가 야경의 불빛을 눈동자에 담은 야마나는 고교 시절보다 어른스러워진 옆얼굴로.

스스로에게 되뇌듯이 그렇게 혼잣말했다.

◇

레스토랑을 나오자 눈앞에는 바다를 둘러싼 보석 같은 야경이 펼쳐져 있었다.

"대박~!"

루나가 눈을 빛내며 스마트폰을 꺼냈다.

"아, 이 위치 딱 좋다. 찍을게, 루나!"

야마나의 부름에 두 사람은 야경을 배경으로 셀카를 찍기 시작했다.

살짝 떨어져서 무심히 그 모습을 지켜보는데, 세키야 씨가 옆으로 다가왔다.

"……오늘, 왠지 미안. 중간에 싸우는 모습을 보여서."

"아뇨……."

대기 시간에 있었던 일을 말하는 것임을 알고는 뭐라도 변명해 줘야겠다고 생각했다.

"야마나도 불안할 거예요, 아마."

"뭐, 그렇겠지. 나에 대한 믿음이 없을 테니까. ……믿음을 줄 만큼 옆에 있어 주지도 못했고."

그렇게 말하며 세키야 씨는 슬쩍 고개를 돌렸다.

"……그래도, 야마나를 좋아하는 건 사실이야. ……결혼하고 싶다고 생각하고 있어."

그 표정은 내 쪽에서는 보이지 않았다. 하지만 그렇게 말하는 목소리는 다정했다.

"……그 말, 본인에게 했어요?"

내가 질문하자 세키야 씨는 내 쪽을 보더니 자조하듯 웃었다.

"말할 수 있겠냐. 부모에게 얹혀사는 장수생이."

"그래도, 이젠 아니잖아요."

"4월부터는 말이지."

딱딱한 목소리로 대답하며 세키야 씨가 내게서 살짝 등을 돌렸다.

"……힘들 때마다, 자주 망상했어. 야마나랑 결혼해서 아이를 낳고 내가 의사로 일하고……. 집으로 돌아오면 저 녀석이 아이를 보살피면서 저녁 식사를 만들어 주고, '어서 와.'라고 말해 주는……. 그런 상상을 하면 피로도 날아가서……."

멋쩍음을 감추듯 코웃음을 치며, 세키야 씨가 나에게 옆모습을 보였다.

"그런 미래를 이루려고, 나도 열심히 노력할 수 있었던 거야. ……요 3년 반 동안."

그 눈동자는 바닷가의 난간을 등지고 서서 루나와 함께 신이 나 재잘거리는 야마나를 향하고 있었다.

"……그 얘기, 야마나한테……."

"그러니까, 말할 수 있겠냐고."

내 말을 가로막으며 세키야 씨가 웃었다.

"너무 징그럽잖아. 그런 캐릭터도 아닌데."

"그래도, 말하지 않으면 전달되지 않아요."

"……그럴지도."

나직이 자조한 뒤 세키야 씨는 등을 동그랗게 말며 자신의 발치로 시선을 떨구었다.

"밸런타인 날, 야마나가 집에 와 줬어. 늘 그래. 내가 '보고 싶다' 고 생각하면, 야마나 쪽에서 만나러 와 줬어. 그게 너무 익숙해져 서…… 어떻게 해야 좋을지 모르겠어."

아아, 그렇구나.

세키야 씨는, 말할 수 없었던 거다.

—너는, 말할 수 있어?

나는 그 말에 용기를 낼 수 있었는데.

"언제든지 만날 수 있는 거리가 아니게 됐을 때…… 우린 어떻게 될까. 저 녀석도 그렇게 멘탈이 강한 편은 아니잖아."

"수학여행 때처럼 만나러 가면 되잖아요. 여차하면."

"장수생과 의대생은 다르다고. 수업과 과제는 팽개칠 수 없어."

세키야 씨는 담담히 말하며 여전히 땅만 바라보고 있던 눈을 가늘 게 떴다.

"힘들겠지. 앞으로 6년…… 어쩌면 그대로 저쪽에서 연수의*가 될 지도 모르니까."

---

* 인턴을 말한다.

"……그런……."

우리 같은 4년제 대학생과 달리 의대생은 6년의 학부 생활을 마치면 국가시험을 치고 추가로 2년의 연수 경험을 쌓아야만 취직할 수 있다는 건 대충 지식으로 알고 있었지만.

"그 말은, 8년을 더 기다려야 한다는 뜻이네요……."

8년 전의 나는 아직 아슬아슬하게 초등학생이었다. 8년 뒤의 내가 이렇게 될 줄은 그때의 나는 상상조차 하지 못했다.

그렇게 미래가 보이지 않을 만큼 오랜 시간을, 세키야 씨와 야마나는 떨어져 지내야만 하는 건가.

겨우 함께할 수 있다고 생각한 그 시점에.

"미안~, 기다렸지!"

"자꾸 흔들려서 엄청 찍었지 뭐야! 앨범이 터지겠어!"

그때, 루나와 야마나가 촬영을 마치고 돌아왔다.

"내가 골라 주지 뭐. ……이거 좀 괜찮지 않아?"

"뭐? 완전 초점이 나갔거든?!"

"그래야 더 예쁘게 보이잖아."

"정말~, 선배 심술쟁이~!"

스마트폰을 보며 세키야 씨와 야마나가 꽁냥거리고 있다.

세키야 씨와 함께할 때 야마나의 얼굴은, 닛시와 있을 때랑은 전혀 다르다.

하지만 이 두 사람은 줄곧 이랬겠지. 중학 시절…… 탁구부 선배와 매니저 관계였을 때부터.

"얼른, 쇼가 시작되겠어! 저쪽으로 가자!"

루나가 내 팔을 잡아당겼다.

해변 광장은 이미 사람들로 바글거리고 있었다.

"와~!"

무수히 많던 일루미네이션이 일제히 꺼지고, 바다에서 시작된 쇼로 조명이 집중되었다,

꿈과 마법을 녹여서 자아낸 듯한 선율이 요란하게 귓가로 흘러들어왔다.

매직키와 동료 캐릭터, 이야기의 등장인물들이 속속 배를 타고 등장하는 수상 쇼는 30분 정도 이어졌다.

이윽고 놀이공원 내에 피날레를 알리는 불꽃이 솟아올랐다.

"예쁘다~!"

불꽃에 비친 루나의 얼굴을 보며 나는 고교 시절의 여름을 떠올렸다.

―처음이 아냐, 나. 여기 축제는 아니지만, 이렇게 유카타를 입고 남자애랑 걷는 것도…… 같이 불꽃놀이를 구경하는 것도.

그 뒤로, 둘이서 몇 번이나 불꽃을 봤다.

그 커다란 눈동자에 피어난 빛의 꽃을 볼 때마다 나는 루나를 사랑스럽다고 생각했다.

처음으로 함께 불꽃을 본 사람이 내가 아니라는 것은, 지금의 나에게는 이미 아무래도 상관없는 일이었다.

하지만.

앞으로 함께 불꽃을 볼 수 없게 되는 건 싫다.

이렇게 계속 옆에 있고 싶다.

하다못해, 마음만이라도.

"……왜 그래?"

내가 위가 아닌 루나만 쳐다보는 바람에, 루나가 의아한 표정을 짓고 말았다.

"……아무것도 아냐."

안심시키듯 미소 지으려고 했는데, 잘되지 않아서 입가가 그만 일그러졌다.

"……."

루나가, 뭐라고 말하고 싶은 것처럼 나를 바라보았다.

그런 그녀가 사랑스러워서.

어디에도 가지 말았으면 해서.

"엇……."

충동적으로 어깨를 끌어안았더니 루나가 놀라서 소리를 질렀다.

세키야 씨와 야마나는 우리들 앞에 있었다.

그래도 낯선 사람들이 우글거리는 속에서.

예전의 나였다면 이런 일은 불가능했겠지.

—앞으로도 계속 선배를 좋아하려면⋯⋯ 이 외로움도 견뎌낼 수 있게 되어야겠지⋯⋯.

—언제든지 만날 수 있는 거리가 아니게 됐을 때⋯⋯ 우린 어떻게 될까.

야마나와 세키야 씨를 보고 있었더니 나도 조금 불안해진 모양이다.

"류토⋯⋯?"

루나의 시선을 느끼며, 나는 불꽃을 올려다보면서 말없이 그녀의 어깨를 안고 있었다.

◇

"엄청 예뻤지!"

"완전 대박이었어!"

불꽃놀이가 끝나고 사람들이 출입구로 향하는 와중에도 루나와 야마나는 들떠서 대화를 나누고 있었다.

"매지컬 씨랑 랜드도 좋지만 말이야~, 다음번엔 유니버셜에 가 보고 싶지 않아?"

"앗, 좋다~! 여름방학이라든가."

야마나의 제안에 루나가 눈을 빛냈다.

"오사카니까 당일치기는 무리려나~?"

"그렇겠지. 붙어 있는 방을 빌려서 자기 전까지 왔다 갔다 하는 거야."

"남자 방이랑 여자 방으로?"

"수학여행이 아니니까. 당연히 커플끼리 한 방씩이지."

야마나의 웃음에 루나가 얼굴을 붉혔다.

"그, 그렇구나. ……그렇겠지."

그 말을 듣자 나도 가슴이 두근거리고 말았다.

야마나와 세키야 씨는 오늘 근처 호텔에 방을 잡아 놓았다고 했다. 세키야 씨가 떠나는 건 모레니까 그때까지 함께할 작정이리라.

"너희들은 이 뒤에 어떡할 거야?"

출입구 근처에서 세키야 씨가 던진 질문에 나는 그대로 멈춰 섰다.

"……아, 잠깐 볼일이 생각났어."

"엥? 왜 그래, 류토?"

옆에 있던 루나도 놀라서 멈춰 섰다.

"세키야 씨는 야마나랑 먼저 가세요. 여기서 헤어지죠."

"뭐? 볼일이라니 뭔데?"

야마나가 의아한 얼굴로 추궁했지만, 뭔가를 감지한 세키야 씨가 "가자." 하고 그녀의 팔을 붙잡았다.

"그럼 안녕. 오늘은 고마웠어."

"네, 모레 또 봬요."

모레는 나도 세키야 씨를 배웅하러 가기로 했다.

"그럼 안녕, 니콜~!"

"응, 또 봐~!"

루나와 야마나도 작별 인사를 나누고, 우리들은 손을 흔들며 두 사람을 배웅했다.

"……그래서, 뭔데? 볼일이라니?"

"으, 응. 잠깐……."

나는 사방으로 시선을 돌렸다.

딱히 계획이 있는 건 아니었다.

그래도, 뭔가를 하고 싶다.

지금 내 마음을 루나에게 전달해야만 했다.

조바심에 사로잡혀 나는 그녀에게서 등을 돌렸다.

"잠시만 여기서 기다리고 있어 줘! 금방 돌아올 테니까!"

"뭐?!"

당황하는 루나의 목소리를 들으며, 나는 주머니에서 스마트폰을 꺼냈다.

"……미안, 기다렸지."

숨을 헐떡이며 돌아온 내게, 음료수가 담긴 종이컵을 손에 든 채 아까와 같은 장소에 서 있던 루나가 미소를 지었다.

"어서 와! 있지, 버블티를 사 버렸어. 류토도 한 모금 마실……."

"이거!"

그런 그녀에게, 나는 뒷짐을 쥔 손으로 숨기고 있던 것을 내밀었다.

"엇…… 유리 구두?"

그것을 보며 루나가 눈을 동그랗게 떴다.

"사 온 거야?"

"응. 루나한테 주고 싶어서."

그녀의 손에서 종이컵을 받고 대신 유리 구두를 건넸다.

"고마워……. 귀엽지만…… 어째서?"

"…….'"

그건 당연한 의문이었다.

—그래도, 말하지 않으면 전달되지 않아요.

아까 세키야 씨에게 했던 말이 부메랑처럼 돌아온다.

"……그게, 유리 구두는, 왕자가 결혼을 결심한 사람을 찾을 때 단서로 쓰려고 갖고 있었던 거잖아…….'"

"응?"

"왕자가 이 구두의 주인과 결혼하고 싶어서…… 그러니까…….'"

스스로도 무슨 말을 하고 있는지 알 수 없어지기 시작해서, 그냥 본론으로 들어가는 수밖에 없다고 마음을 굳혔다.

"내가, 대학을 졸업하면…… 겨, 결혼하자."

루나의 얼굴을 볼 용기가 없어서, 그녀의 치마 언저리까지밖에 차마 시선을 들지 못했다.

"……류토…….'"

루나의 멍한 속삭임을 듣고서야 간신히 고개를 들었다.

루나는 놀란 상태였지만, 그 얼굴에는 희색이 감돌고 있었다. 그 사실에 마음이 놓여서, 나는 루나를 바라보았다.

"그러니까 저기, 루나가 후쿠오카로 가면, 나도 그쪽에서 일자리를 찾아볼 테니까⋯⋯."

조급함이 앞서서 제대로 말이 정리되지 않았다.

"그러니까, 괜찮아! 나도 4월부터는 이제 3학년이고, 그럼 2년만 더 있으면 되니까!"

"⋯⋯."

"여름방학에는 만나러 갈 거고, 겨울방학, 봄방학에도⋯⋯ 알바로 교통비를 모아서, 갈 수 있으면 매주라도⋯⋯."

그러자 루나가 활짝 미소 지었다. 몹시 감동한 듯한, 벅찬 표정으로.

"류토⋯⋯ 고마워."

가만히 속삭인 뒤 살짝 고개를 숙였다.

"⋯⋯응. 나, 결심했어. 내일 권역 매니저에게 대답할래."

루나는 그렇게 말하더니 고개를 들고 나를 보았다.

"확실히 정해지면 보고할게. 그래도 걱정하지 말았으면 좋겠어."

"⋯⋯응."

루나가 권역 매니저에게 어떤 대답을 할지 알 수 없다는 게 마음에 걸리긴 하지만.

그래도 정해지면 가르쳐 줄 생각이겠지.

"……그래도, 깜짝 놀랐어. 오늘 이런 말을 들을 줄은 전혀 상상도 못 했거든."

불현듯 루나가 밝게 웃었다.

그 덕분에 나도 평상심을 되찾을 수 있었다.

"미, 미안. 매지컬 씨에서 연인에게 할 만한 깜짝 이벤트로 검색했더니 프러포즈만 나와서…… 너무 앞서 나가는 걸지도 모른다는 생각은 했지만."

루나의 손에 들린 유리 구두를 보자 뒤늦게 민망해져서 등에 땀이 흘렀다.

"……그래도, 이건…… 내, 진심이니까."

그것만은 한 번 더 제대로 전해 두려고 생각했다.

"응. ……기뻐."

루나는 눈을 가늘게 뜬 채 미소를 지으며 자신의 손안에 놓인 빛을 바라보았다.

"……언제 말해 주려나 하고, 사실은 조금 생각하고 있었거든."

"어?"

얼떨떨해하는 내게 루나가 장난스레 웃었다.

"마리아한테 말했잖아? '대학을 졸업하면 루나와 결혼한다'고."

"그, 그건……."

쿠로세 너……!

확실히, 입막음을 해 두지 않았던 내 잘못이긴 하지만.

"……고, 고등학교 때부터…… 그렇게 생각하고 있었으니까."

"나도."

식은땀을 줄줄 흘리는 내게, 루나가 수줍은 시선을 보냈다.

"줄곧, 류토랑 결혼하고 싶다고 생각했어. 물론 지금도."

"루나……."

불현듯, 갑자기 사람들의 시선이 마음에 걸려서 나는 주위를 두리번거렸다.

불꽃놀이가 끝난 놀이공원 안은 완전히 귀가 분위기였다. 출입구와 가까운 이 근처는 사람의 왕래가 잦았다. 다들 이제부터 사야 할 기념품과 다음으로 할 일을 얘기하느라 정신이 팔려서, 건물 벽가에 멈춰 서서 대화하는 우리에게 관심을 보이는 사람은 없었다.

야마나와 세키야 씨는 지금쯤이면 벌써 호텔에 도착했겠지.

"……내, 내일, 아침부터 일해……?"

어색하게 묻는 내게, 루나가 마찬가지로 어색하게 고개를 끄덕였다.

"으, 응……."

"그, 렇겠지……."

두 사람의 머릿속을 스쳐 지나가고 있는 건 아마도 같은 생각일 터다.

"……."

한 번 타이밍을 놓쳤을 뿐인데, 어째서 이렇게 어려워져 버린 걸까.

3년 전 그때부터 우리들은 같은 마음일 텐데.

"······."

제법 긴 침묵 뒤에.

"······돌아갈까."

루나가 나에게 손을 내밀며 걷기 시작했다.

"······그러자."

그 손을 잡으며, 나도 그녀와 어깨를 나란히 했다.

붙잡은 루나의 손에서 느껴지는 온기에 봄이 당도했음을 실감한다. 아니면, 버블티 컵을 들고 있느라 내 손이 차가워진 걸까?

"이거, 소중히 가지고 있을게."

손에 든 유리 구두를 보여 주며 루나가 미소 지었다. 그 귀와 손가락에서는 문스톤이 반짝이고 있었다.

루나는 내가 준 선물을 계속 소중히 아껴 주었다. 아마도, 그렇게 몇 년씩이나 하고 다닐 만큼 비싼 물건은 아닐 텐데도.

"······더 좋은 걸 줄 수 있도록, 노력할 테니까."

부끄러워서 작은 목소리로 한 말은, 너무 작아서 루나에게는 닿지 않은 듯했다.

"응?"

의아한 기색으로 되묻는 그녀에게, 나는 웃으며 고개를 저었다.

"아무것도 아냐."

가라앉기 시작한 초승달만이, 내 조촐한 맹세를 듣고 있어 준다면 좋겠다고 생각했다.

제 5 장

그렇게 더블데이트를 한 다음 날 아침, 나는 침대 위에서 스마트폰을 켰다가 깜짝 놀랐다.

 나, 여친이 생겼을지도.

"엑?!"

뭐, 그야 지금 잇치는 키 큰 꽃미남이니까, 여자친구가 생겨도 전혀 이상하지 않지만.

그렇게 아싸이던 잇치가, 어디서 어떤 여자를 알게 돼서, 어떻게 친해진 거지?

 뭐야 어떻게 된 일이야?!
어디의 누군데?!
귀여워?!
얘기해 줘!
통화할 테니까!

닛시도 그 점이 궁금했는지 순식간에 연속으로 메시지를 보내더니 그룹 통화를 시작했다.

"그게~, 어제 오프 모임이 있었거든."

"오프 모임? KEN 키즈들의?"

"그렇다기보다는, 내 팬들의?"

"하?"

"트위터에서 자주 댓글을 달아 주는 팔로워들이랑 만났어."

"오~?"

"그런데 날 엄청 좋아한다고 말해 주는 여자애가 있어서."

"하아……."

"오오, 잘됐네."

"왠지, 진짜로 엄청 좋아해 주더라니까. 트위터에도 어제 얘길 올려 줬고."

"흐웅?"

"선물도 주고."

"하아……."

"잘됐네."

"오늘 오후에 둘이서 만나기로 했어."

"오. 그럼 사귀는 건 벌써 확정된 분위기인 거야?"

닛시는 생기를 잃은 기색이었기에, 내가 주도적으로 질문했다.

"글쎄~! 저쪽에서 먼저 사귀자고 하면 그럴지도~!"

잇치는 이미 한껏 들떠 있었다.

"그렇구나. 그럼, 행복하길 바랄게."

그렇게 통화를 마친 뒤 나는 감개무량함을 느꼈다.

"잇치에게 여친이라……."

불현듯 타니키타가 한 말이 뇌리를 스쳤다.

―완전 취향인걸. 지금도 당연히 좋아하지.

"……."

그래도, 어쩔 수 없겠지.

잇치가 그 애를 좋아한다면, 타니키타가 나설 차례는 없으니까.

그렇게 왠지 모를 씁쓸함을 느끼고 있던 그때.

스마트폰이 진동해서 확인하자 닛시에게 전화가 와 있었다.

"닛시?"

"있잖아, 아까 잇치가 말했던 애로 보이는 트위터 계정을 찾았는데."

"뭐?"

손이 빠르군…… 이랄까, 그렇게까지 할 일이냐고. 잇치가 여친을 갖게 생겨서 혼자만 남겨지는 게 억울할 수는 있겠지만.

"이 여자 위험해."

"엥?"

"계정 보낼 테니까 확인해 봐."

닛시는 그렇게만 말하고 통화를 끊었다.

닛시가 보낸 계정을 확인한 나는.

"우와아……."

저도 모르게 소리를 지르고 말았다.

> 챠모타로
> 최애랑 데이트 중♡

함께 업로드된 사진에는 테이블 위에 두 개의 유리잔이 나란히 놓인 광경이 찍혀 있었다.

오프 모임이었으니 다른 사람도 같이 있었을 텐데…….

> 챠모타로
> 커플 템♡ 들키려나?

그다음으로 업로드된 사진에는 머그컵이 찍혀 있었다.

영문을 알 수 없어 잇치의 계정으로 이동해 보자, 그녀가 트윗을 쓰기 조금 전에 같은 머그컵 사진이 올라가 있었다.

> 인싸 유스케
> 오프 모임에서 받았어~ 고마워!

—선물도 주고.

그러고 보니 그런 말도 했다.

잇치에게 준 선물과 같은 것을 자신도 사서, '커플 템♡'이라고 친밀한 관계를 암시하는 트윗을 하고 있었다니.

치밀하지 않아서 콕 집어 악질이라고 할 정도는 아니었지만, 제법 골치 아플 것 같은 느낌이 들었다.

그다음 글도 살짝 훑어봤더니, 다른 유저가 보낸 멘션에 단 댓글에서도 수상한 냄새가 났다.

> 미나미
> 그냥 오프 모임이잖아. 뭐가 데이트야.

> 챠모타로
> 엥ㅋㅋㅋ 싫다~ 오프 모임에 오지도 못한 미나미 씨 아니세요? ㅋㅋㅋ 추녀신가요? ㅋㅋㅋ 질투하느라 수고가 많으십니다ㅋㅋㅋ

"대놓고 도발하고 있잖아⋯⋯!"

이건 도저히 좋게 봐 줄 수가 없었다.

"닛시, 확실히 위험해, 이 애."

저도 모르게 닛시에게 전화를 걸고 말았다.

"그치?! 그런데 잇치는 전혀 모르고 있어. 방금 전화해서 가르쳐 줬는데도, '날 너무 좋아해서 그런 거겠지~.' 하고 웃어넘기더라니까. 완전 돌아 버렸어."

"심지어 오늘 단둘이 만난다며? 큰일이야. 점점 주제 파악을 못하고 나댈 게 분명해."

"그래서 내가 말했어. '나랑 캇시도 동석하게 해 달라'고."

"뭐?! 뭘 멋대로 정하는 거야?!"

"약속이라도 있어?"

"3시부터 편집부 알바가……."

"아~ 괜찮아. 약속 시간은 12시라고 했으니까. 그 전에는 끝나겠지."

"헐……."

하지만 잇치가 걱정되는 건 사실이었다.

아싸라 여자에 익숙하지 않은 건 우리도 마찬가지지만, 잇치는 우리보다 더 심하게 인간관계에 서툴렀다. 3년 전에는 문화제에서 흥분한 나머지 벌칙 게임도 아닌데 난데없이 타니키타에게 고백해 버릴 만큼 여성에 관해서는 위태로운 구석이 있었다.

결국 닛시와 함께 현장에 가기로 한 나는, 통화를 마친 뒤 외출 준비를 시작했다.

그리고, 문득 결심이 들어.

라인의 채팅 화면을 켜고 'A.T'에게 보낼 메시지를 작성하기 시작했다.

◇

"처음 뵙겠습니다, 챠모타로입니다!"

약속 장소인 패밀리 레스토랑에 나타난 여자가 우리들 앞에서 사근사근하게 그렇게 말했다.

잇치, 닛시와 30분 전에 합류해 가게 안의 4인용 테이블석에서 마음을 졸이며 그때를 기다리던 나는, 마침내 찾아온 순간에 긴장감이 정점에 달했다.

"아, 여기에 앉아."

"네에♡"

벽 쪽의 소파 자리, 잇치의 옆…… 내 정면에 앉은 그녀를, 나는 조심스레 살펴보았다.

솔직히 내 취향은 아니었다. 캐치프레이즈로 표현하자면 '반에서 16번째로 귀여운 여자애'라는 느낌이다.

패션에 신경을 쓰고 있다는 느낌은 드는, 살짝 하늘하늘하고 여성스러운 옷을 입고 있다. 옷 취향만 보면 예전의 쿠로세와 비슷한 것 같다.

KEN 키즈라고 하니 오타쿠겠지만, 그런 것치고는 생글생글 잘 웃고 싹싹해 보이는 사람이었다. 잇치의…… 좋아하는 사람 앞이라서 그런가.

"……켁~ 진짜냐."

옆자리의 닛시가 무심코 새어 나온 듯 입속말을 했다.

그런 닛시를, 나는 팔꿈치로 세게 쿡 찔렀다.

"내 친구들이 꼭 챠모타로 씨를 만나고 싶다고 해서. 고등학교 때 친구들인데, 둘 다 KEN 키즈라서 학교에서 늘 KEN 얘기를 했어."

잇치는 신이 나서 그녀에게 재잘거렸다. 기분이 아주 좋은 모양이다.

"헐~, 부럽다~! 챠모는 학교에 키즈 친구가 없었거든요~."

챠모타로 씨도 흥겹게 장단을 맞춰 주었다.

이건 이것대로 잘 어울리는 것도 같았지만, 나는 트위터에서의 챠모타로가 어떤 캐릭터인지 알고 있었기에 그녀를 마냥 호의적으로 볼 수 없었다.

"……챠, 챠모, 타로 씨? 는…… 몇 살이야?"

조금 어려 보여서 물어보자, 챠모타로 씨는 나를 향해 생긋 웃었다.

"17살이에요."

"엥, 그럼 고등학생이야?"

"네."

"그, 그렇구나……."

나는 닛시와 눈을 마주쳤다.

안 그래도 위험해 보이는 안건인데, 심지어 고등학생이라니…….

점점 더 잇치가 그녀와 사귀지 않기를 바라게 됐다.

하지만 이미 러브러브 모드로 돌입한 잇치와 그녀에게 무슨 말을 해야 교제를 저지할 수 있을지 알 수 없었다.

"챠모 씨는 정말 어리네. 피부가 엄청 깨끗해."

"엥~♡ 인싸 씨야말로 엄청 잘생기셨어요오."

새삼스럽지만 잇치의 '인싸 유스케'라는 핸들네임은 생각할수록 웃기다. 심지어 애칭이 '인싸 씨'라는 게, 상황이 이렇게 되자 빈정거림으로밖에 들리지 않았다.

"······우와~."

불현듯 옆에서 소리가 들려 시선을 보내자, 닛시가 무릎 위에 놓인 자신의 스마트폰을 보고 있었다.

"캇시, 이것 봐 봐."

닛시가 보여 준 화면을 확인하자, 챠모타로 씨의 트위터 최신 투고글이 표시돼 있었다.

> 챠모타로
> 오늘도 최애랑 데이트♡ 같은 음료수♡ 러브♡

사진이 첨부되어 있는 글로, 테이블 위에 놓인 드링크 바의 유리잔이 두 개 찍혀 있었다. 대체 언제 찍은 건지 알 수 없었지만, 확실히 그녀는 잇치와 똑같은 콜라를 마시고 있었다. 꼼꼼하게 위치 정보까지 기록해 두다니, 전 세계에 과시라도 할 셈인 걸까.

그 뒤에도, 잇치와 챠모타로 씨의 차마 눈 뜨고 볼 수 없는 애정행각은 멈출 줄을 몰랐다.

"인싸 씨의 그 건축물, 정말 대단했어요~♡ 이츠쿠시마 신사처럼 생긴 거요."

"아~ 그거 말이지! 쉬웠어! 1시간 만에 완성했지!"

"헐~ 거짓말~."

"진짜 쉬웠다니까! 나 정도 수준이 되면 말이지~."

"와~ 천재♡ 너무 좋아~♡"

"그치~, 반하진 말고."

"엥, 이미 반했는데!"

"으하하~."

챠모타로 씨도 여러모로 이상하지만, 상황이 이렇게 되자 잇치도 잇치라는 생각이 들었다. 고교 시절 절친이라고도 부를 수 있는 친구가, 아무리 처음으로 여친이 생길 것 같은 상황이라지만, 이렇게 웃기지도 않는 남자가 돼 버리다니.

그렇게 생각하자 기가 막히는 걸 넘어서 분노와도 닮은 감정이 서서히 솟구치기 시작했다.

닛시도 그건 마찬가지였는지.

"……이제 됐어, 난 돌아갈래. 캇시 너도 가자."

질린 얼굴로, 나에게 그렇게 말했다.

"응……."

잇치는 이미 글렀다.

자신의 여자 팬에게 손을 댄 것이 커뮤니티에서 문제가 되어 KEN 에게 영구 차단을 당해도, 미성년자와 간음한 죄로 경찰에 체포돼도 이렇게 된 이상 어쩔 수 없다.

그렇게 생각하며 닛시와 자리를 뜨려고 하던 그때였다.

"야, 너 여기서 뭘 하고 있는 거야!"

패밀리 레스토랑과는 어울리지 않는 호통 소리에, 가게 안의 손님들이 일제히 소리가 난 쪽을 바라보았다.

우리들의 자리 뒤쪽에 젊은 남자가 서서 이쪽을 노려보고 있다.

당연히 다른 테이블의 관계자일 거란 생각에 눈을 마주치지 않으려 애쓰고 있는데, 그가 똑바로 이쪽으로 걸어왔다.

"……그래서, 누가 인싸 유스케지?"

우리들 세 사람의 얼굴을 차례대로 쳐다본 뒤, 그 남자는 챠모타로 씨를 쏘아보았다.

"어이, 대답해, 챠모!"

그제야 간신히, 그가 챠모타로 씨와 아는 사이라는 것을 깨달았다.

"……."

챠모타로 씨는 고개를 숙인 채 입을 다물고 있었다.

"너야?"

정면에 있는 나를 응시하며 묻기에, 나는 저도 모르게 힘껏 고개를 가로젓고 말았다.

"그럼, 너야?"

다음으로 눈총을 맞은 닛시도 전력으로 고개를 저었다.

"……너구나."

그래도 잇치는 부정하지 않았다. 하지만 고개를 끄덕이지도 않고, 어안이 벙벙한 듯이 무반응으로 남자를 바라보았다.

챠모타로 씨와 비슷하게 고2쯤 돼 보이는, 아무리 봐도 우리보다

연하인 남자다. 말투에서는 위세가 넘쳤지만 불량배 같은 느낌은 없었다. 복장만 봐도 굳이 따지자면 아싸에 가까운 분위기의, 어디에나 있을 법한 청소년이었다.

그래서 더, 그의 순수한 분노가 느껴져 무서웠다.

"너 이 자식, 남의 여친한테 이게 무슨 짓이야?"

반쯤 예상은 하고 있었지만, 그 말로 모든 것이 이해되었다.

"여, 여친……?"

잇치는 망연자실했다.

천국에서 지옥으로 내동댕이쳐진 표정이다.

"애초에 데이트도 아니잖아. 뭐 하는 거야? 트위터에 그런 글을 적어 놓고, 내가 모를 줄 알았어?"

남자 친구의 날카로운 눈빛에 챠모타로 씨가 다시 고개를 숙였다.

"그, 그게, 미안. 챠모가, 최애인 인싸 씨랑 알게 된 게 기뻐서…… 다른 여자 팬들한테 자랑하고 싶었어……. 그게 다야…….."

"둘이 했어?"

"안 했어요…….."

챠모타로 씨가 고개를 숙인 채 어두운 목소리로 대답했다.

"……진짜야?"

남자 친구가 의심스러운 눈으로 그녀를 노려보았다.

"진짜야. 어제 오프 모임에서 만난 게 처음이라고!"

"절대 안 했어요! 이 사람, 줄곧 동정이었거든요!"

"그런 스킬은 없어요!"

말이 없는 잇치 대신 어째서인지 나와 닛시가 전력으로 옹호하는 처지에 이르렀다.

가게 안 사람들의, 낯선 호기심을 품은 시선이 따가웠다.

"……이제 다시는 만나지 마. 알겠어?"

남자 친구의 말에 챠모타로 씨가 한껏 고개를 끄덕였다.

그런 그녀를 잇치는 처량한 눈으로 쳐다보았다.

"그럼 가자."

남자 친구의 말에 챠모타로 씨가 자리에서 일어나자, 어째서인지 잇치도 자리에서 일어났다.

나와 닛시만 여기에 남아 봤자 소용이 없었기에, 우리도 같이 일어났다.

계산대에 우르르 줄을 서서, 말없이 자신이 시킨 음료수 값을 각각 따로 계산하는 초현실적인 시간이 흘렀다.

그리고 가게 밖으로 나와서.

"가자."

아직 화가 난 남자 친구의 목소리에, 챠모타로 씨가 잇치를 힐끗 보고는 묵묵히 남자 친구를 따라가려 걸음을 뗐을 때였다.

"……기다려!"

잇치가 챠모타로 씨에게 말을 걸었다.

"챠모 씨!"

챠모타로 씨와 남자 친구가, 멈춰 서서 이쪽을 보았다.

잇치는 그런 와중에도 챠모타로 씨만 쳐다보며 비통한 얼굴로 입을 열었다.

"……그 녀석이랑 헤어지고, 나랑 사귀자."

"하아?"

남자 친구의 얼굴이 순식간에 붉으락푸르락해졌다.

역 앞 근처 가로수가 질서 정연하게 늘어선 널찍한 보행로에서, 지나가던 사람들이 무슨 일인가 싶어 호기심 어린 시선을 보내온다.

그럼에도 굴하지 않고 잇치는 호소했다.

"좋아해. 챠모 씨, 부탁이야……."

고개를 숙인 채 필사적으로 애원하는 잇치를, 남자 친구 옆에 있던 챠모타로 씨가 미간을 찌푸리며 바라보았다.

"……죄송해요. 인싸 씨는 최애로 좋아하는 거라서, 그럴 마음은 ……."

"그게 뭐야…… 좋아하면 되는 거잖아! 내 팬이라며?! 사귀어 달라고……!"

잇치는 고개를 들며 물고 늘어지듯 챠모타로 씨에게 말했다.

"잇치."

닛시가 그만하라고 말하듯이 잇치의 팔을 잡았지만, 체격 차이 때문에 쉽게 떨쳐내지고 말았다.

"까불지 마, 너!"

그때, 남자 친구가 재차 격분하며 이쪽으로 다가왔다.

"맞고 싶어?!"

남자 친구가 힘껏 손을 쳐들자 잇치는 잔뜩 겁을 먹고 뒤로 넘어졌다.

내가 그렇듯 몸을 던져 싸워 본 적도 없을 테니 마음은 이해하지만, 아주 꼴사나웠다.

"챠모 씨……."

엉덩방아를 찧은 채 두 팔을 뒤로 짚은 자세 그대로 잇치는 매달리듯 중얼거렸다.

"시끄럽네, 진짜로 때린다?!"

남자 친구가 화를 내며 잇치를 향해 다시 손을 쳐들었다.

그때였다.

우리들의 등 뒤에서 인영이 달려 나와 잇치 앞에 나타났다.

"바보 아냐?!"

새된 여성의 목소리가 보행로를 가득 메우더니, 찰싹 따귀를 때리는 소리가 났다.

"꼴사나운 짓 그만해! 가게 안에서 다 보고 있었거든?!"

그녀는 잇치 위에 올라타 멱살을 잡으며 말했다.

"타, 타니키타……?! 진짜 타니키타야?!"

옆에 있던 닛시가 깜짝 놀란 기색으로 중얼거렸다.

확실히 닛시에게는 말하지 않았으니, 놀라는 것도 무리는 아니다.

 잇치, 여친이 생길지도 몰라.

괜찮겠어?

A.T　챠모타로겠지.

남친이 있는 것 같던데 갈아타려고 그러나.

류토　아, 알고 있었구나…….

일단 만나기로 한 패밀리 레스토랑 주소를 보낼 테니까.

아까 라인 채팅방에서 나눈 대화를 떠올렸다.

눈치채진 못했지만, 분명 패밀리 레스토랑의 어느 자리에서 우리들의 자초지종을 감시하고 있었겠지.

"왜 저 애야?! 내가 10배는 더 귀엽고, 100배는 더 너를 좋아하는데!"

밑에 깔린 채 할 말을 잃은 잇치에게, 타니키타가 말의 탄환을 연사했다.

"이 이상 저런 애 앞에서 추태를 부려서, 내 3년 동안의 짝사랑을 헛수고로 만들지 말아 줘! 넌 이렇게 멋진데!"

"엥, 타니키타…… 엥, 어, 어떻게…….."

그때 간신히 말을 꺼낸 잇치에게, 타니키타는 뻔뻔한 얼굴로 대답했다.

"……'미나미'라고 말하면 알겠어?"

"……엇, 트위터에서 매일 댓글을 달아 주는, 내 팬……?"

타니키타가 크게 고개를 끄덕였다.

"미나미는 나야. 사실은 그 전에도 계정을 갖고 있었지만, 실수로 차단당해서 다시 만들었어."

"……엣……."

"도쿄에 살고 있는데 몇 번이나 오프 모임을 가져도 한 번도 안 나오니까, 얼굴도 공개 못 할 만큼 못생긴 줄 알았어?"

"엣…… 엣……?!"

잇치는 무슨 일이 벌어지고 있는지 모르겠다는 얼굴로 입을 빠끔거렸다.

"엣…… 나를, 조, 좋아해……?"

"싫어하는 녀석한테 매일 댓글을 달 리가 없잖아."

좋아하는 남자에게 하는 말이라고는 도저히 상상할 수 없는 부루퉁한 어조로, 타니키타가 대답했다.

"그, 그건 '최애'로서……?"

조금 전 챠모타로 씨가 한 말이 있어서인지 잇치는 신중했다.

"뭐든 상관없어. 이지치 유스케든 인싸 유스케든, 다 좋아. '사귀어 달라'고 말하면 사귈 거고, '하게 해 달라'고 말하면 하게 해 줄 거야. 네 외모가 너무 좋아."

눈썹을 찌푸리며 단숨에 말하는 타니키타를 보며, 잇치는 곧바로 패닉에 빠진 얼굴을 했다.

"엣, 그치만 난, 문화제 때 죽을 만큼 차였는데……."

"그때 이지치는 엄청 뚱뚱했잖아! 난 오타쿠라고, 얼빠는 당연히 기본 패시브지! 고백할 생각이면 처음부터 살을 빼고 오라고!"

책망하듯이 빠른 어조로 쏘아붙이고 나서, 타니키타는 애절하게 입술을 깨물었다.

"……그랬으면, 몇 년이나 이런 생각을 할 일도 없었을 텐데……."

지나가던 사람들은 그런 두 사람 주위를 슬쩍 피해 걸음을 떼며 몸을 돌려 쳐다보았다.

살짝 떨어져서 닛시와 함께 서 있던 나도 구경거리의 일부가 된 것 같아 솔직히 조금 마음이 불편했다.

하지만 당사자들은 그런 건 안중에도 없는지.

"엥, 저기, 혹시…… 지금 이 순간도…… 나를, 좋아해……?"

쩔쩔매며 어떻게든 상황을 정리하려고 물어보는 잇치에게 타니키타는 다시 험악한 표정을 지었다.

"그러니까, 바보 아냐?! 몇 번이나 말하게 만들지 말라고! 좋아하지 않았으면 이런 곳에 오지도 않았어! 이런 웃기는 연극에 나까지 말려든 게…… 창피해! 이걸 어떡할 거야?!"

"……."

잇치의 얼굴이 순식간에 빨개졌다.

그러더니.

"앗?!"

마침 잇치의 다리 사이에 앉아 있던 타니키타가 당황한 듯이 허리를 들었다.

"자, 잠깐, 뭘 세우고 있는 거야?!"

"헉, 미안……."

"색마! 변태!"

황급히 사과하는 잇치를 타니키타가 빨개진 얼굴로 가차 없이 매

도했다.

하지만, 불현듯 진지한 눈빛으로 잇치를 바라보더니.

"좋아해……."

열에 들뜬 것처럼 중얼거리며 타니키타가 잇치의 입가에 자신의 입술을 떨구었다.

"……."

백주 대낮의 거리 한복판에서 벌어진 키스에, 나는 닛시와 눈을 마주칠 여유도 없이 혼자 숨을 삼켰다.

"계속 이렇게 하고 싶었어."

입술을 뗀 타니키타가 애절함과 황홀함이 섞인 얼굴로 잇치를 응시했다.

"……."

잇치도 뺨을 붉힌 채 믿을 수 없는 꿈을 꾸는 것 같은 눈빛으로 그녀를 쳐다보고 있었다.

"……자, 잠깐만 타니키타! 거기까지야!"

"진정! 진정해!"

어쩐지 이대로 공공 보행로에서 엄청난 일이 시작될 것 같은 분위기에, 나와 닛시는 황급히 잇치에게서 타니키타를 떼어냈다.

정신이 들자 챠모타로 씨와 남자 친구는 사라지고 없었다.

하긴 그럴 만도 하지.

"자, 그럼 이제, 두 사람은 사귀는 걸로 이해하면 되겠지?"

닛시가 살짝 무성의하게 선언했다.

잇치도 바닥에서 일어나서 우리들 네 사람은 보행로의 가로수 옆, 통행에 방해가 되지 않는 곳에 서 있었다. 구경거리 상태를 벗어나게 되어 일단 안심했다.

"……."

잇치와 타니키타는 말없이 서로의 표정을 탐색하듯 시선을 주고받았다.

그 모습을 봐선 대답은 더 기다릴 것도 없이 '예스'였다.

그렇게 생각한 나는, 잇치의 왼손과 타니키타의 오른손을 잡아 서로 붙들게 했다.

"……좋아. 그럼, 그런 걸로."

손을 잡은 두 사람은 살짝 서로의 얼굴을 보더니 몽롱한 기색으로 눈을 피했다.

아마도 아직 첫 키스의 여운에 빠져 있는 거겠지.

"쌓인 얘기도 많을 테니까 이제부턴 둘이 알아서 해."

닛시가 그렇게 말하며 잇치와 타니키타의 등을 밀었고, 두 사람은 손을 잡은 채로 보행로를 걷기 시작했다.

"……아~ 아. 이걸로 잇치한테도 여친이 생겼구나."

지나가는 인파에 섞여 점점 흐릿해지는 두 사람을 배웅하며, 닛시가 피곤하다는 듯이 중얼거렸다.

"그러게."

"쳇~, 재미없는 일을 해 버렸어."

입으로는 그렇게 말하고 있지만 닛시도 홀가분한 기분을 느끼고 있다는 건 그 표정만 봐도 알 수 있었다.

손을 잡은 채 멀어져 가는 두 사람의 뒷모습에, 마지막으로 한 번 더 시선을 보내며.

"……행복하길."

나는 그렇게 혼잣말했다.

◇

> 아카리   카시마, 오늘은 고마웠어!
>
> '원조'는 이제 전부 차단했으니까 안심해!
>
> 지금 완전 행복해!

그날 밤, 타니키타에게서 온 라인을 보고.

"……역시 타니키타네."

그 능청스러운 내용에, 저도 모르게 쓴웃음을 흘리고 말았다.

◇

다음 날 저녁, 나는 세키야 씨를 배웅하러 갔다. 토요일이라 원래라면 학원 수업 알바가 있는 날이지만, 마지막 시간에 수업을 듣는 아이가 본인 사정으로 날짜를 변경한 덕에 다행히 배웅을 갈 수 있었다.

급하게 서두르는 데다 성수기라 적당한 시간대의 비행기 편을 예약하지 못해서, 놀랍게도 신칸센을 타고 가게 되었다고 했다.

"여어. 일부러 오게 해서 미안."

오오미야 역에서 합류했을 때, 세키야 씨 옆에는 이미 야마나가 있었다. 오늘도 계속 옆에 붙어 있었겠지.

세키야 씨는 파란색 슈트케이스 하나와 보디 백만 들고 있어서, 3박 4일 정도의 여행을 하러 가는 것처럼 보였다.

"……."

야마나는 말없이 장례식장 같은 얼굴을 하고 있었다.

"니콜……."

그런 친구를 루나가 걱정스러운 눈으로 지켜보았다. 세키야 씨를 배웅한 뒤 혼자서 평정을 유지할 자신이 없으니 따라와 줬으면 좋겠다고, 야마나에게 부탁을 받았다고 했다. 그래서 나도 같이 가는 전개가 되었던 것이었다.

"……슬슬 플랫폼으로 갈까."

"응……."

세키야 씨와 야마나의 대화는 짧았다. 작별의 시간이 다가와서 새삼스레 무슨 얘기를 해야 좋을지 알 수 없는 것일지도 모른다.

세키야 씨가 탈 신칸센은 오후 6시 전에 출발했다. 오늘 밤은 종점인 하코다테의 비즈니스호텔에서 투숙한다고 했다.

봄방학이라 혼잡스러운 저녁의 역 안을 넷이서 이동해 신칸센 플랫폼에 도착했다.

승강구 근처에는 플랫폼에 그어진 선을 따라 승객들이 줄을 서 있었다. 세키야 씨는 그 줄의 마지막에, 야마나를 데리고 섰다.

플랫폼 위쪽에 표시되어 있는 발차 시각이 시시각각 다가오고 있었다.

"……읏……."

야마나가 입가를 누르며 울음을 터뜨렸다.

"니코루……."

세키야 씨가 야마나를 끌어안았다. 그 표정은 역시나 괴로워 보였다.

"……루나."

나는 루나를 불러 두 사람에게서 살짝 떨어졌다.

세키야 씨와 야마나는 딱 달라붙어 얼굴을 맞댄 채 작은 목소리로 무어라 얘기를 나눴다.

"흐윽……."

야마나는 이따금 오열했다. 흘러넘친 눈물이 뺨을 타고 흘렀다.

열차가 선로로 들어오는 것을 알리는 방송이 플랫폼에 흐르고, 유선형의 선두 차량이 속도를 늦추며 미끄러져 들어왔다.

세키야 씨가 탑승할 신칸센이다.

"세키야 씨……."

우리들도 승강구로 다가가 열차에 탑승하려고 하는 세키야 씨에게 작별 인사를 했다.

"잘 지내세요."

"어. 여름방학에 또 보자."

칙칙한 분위기를 날려 보내듯 세키야 씨가 크게 손을 흔들었다.

"……무리야……."

바로 그때, 야마나가 흐느껴 울며 자리에 주저앉았다.

"여름이라니……, 아직 봄도 안 왔는데…… 흑."

"니코루."

세키야 씨가 야마나의 팔을 잡고 일으켜 세웠다.

플랫폼에 나 있던 줄은 이미 전부 차 안으로 삼켜지고 없었다. 세키야 씨는 제 몫의 슈트케이스를 먼저 차 안에 싣고는, 두 팔로 야마나의 몸을 부축했다.

"……야마나."

등을 웅크려 눈물로 엉망이 된 그녀의 얼굴에 시선을 맞추며 세키야 씨가 속삭이듯 말했다.

"같이 가자……. 너랑 헤어지기 싫어."

처음으로 보는 세키야 씨의 표정이었다.

늘 점잔을 빼고 여유를 부리던 얼굴은 온데간데없이 사라지고, 애타게 눈썹을 찡그린, 애원하는 듯한 표정을 짓고 있었다.

"……!"

야마나가 하늘의 계시를 받은 사람처럼 눈을 크게 떴다.

"……아……."

무어라 말하고 싶은 것처럼 벌어졌던 입술이 공허하게 떨렸다.

그때, 발차 벨이 무자비한 음량으로 울려 퍼졌다.

"선배……."

야마나의 두 눈에서 눈물이 억수처럼 흘러내렸다.

"……나…… 웃."

헐떡이는 목소리로, 물에 빠진 사람이 물결에 떠밀리다 간신히 고개를 내밀고 애원하는 것처럼 야마나가 말했다.

"……는…… 갈 수, 없어……!"

끊임없이 넘쳐흐른 눈물이 플랫폼 바닥에 빗방울 같은 흔적을 남겼다.

"……그렇구나."

세키야 씨는 작게 중얼거렸다. 꼭 길을 잃은 소년처럼 불안한 얼굴로.

세키야 씨의 손이 야마나에게서 떨어지고, 그 몸이 신칸센의 승강구 안으로 빨려 들어갔다.

그 순간을 기다린 것처럼 신속하게 문이 닫히고, 두 사람 사이를 차가운 철판이 가로막았다.

창문으로 보이는 세키야 씨의 얼굴이 점점 멀어지더니 시야 밖으로 사라져 갔다.

마지막으로 눈에 비친 세키야 씨가 살짝 미소 짓고 있었던 것이 그나마 유일한 위안이었다.

"선배……!"

야마나는 플랫폼 위에 무릎을 안은 채 주저앉아 울었다.

"니콜!"

루나가 달려와 쪼그려 앉아, 그 어깨에 손을 둘렀다.

"너무해, 선배. 마지막에 그런 말을 하다니……!"

펑펑 울며 야마나가 흐느끼듯 말을 토해냈다.

"난, 이제 어린애가 아닌데, 이쪽에서 일자리도 정해졌고, 지켜야 할 삶도 있는데."

루나는 미간을 모은 채, 묵묵히 친구의 등을 다독였다.

"엄마…… 난, 엄마를 두고 갈 수 없어……. 내, 유일한 가족이란 말이야……."

"……그렇지, 이해해."

루나도 눈물을 글썽이며 야마나를 부둥켜안았다.

"전부 다 버리고, 선배만 믿고, 멀고 낯선 땅으로 따라오라고……? 그런 사랑이 가능했던 시절은, 이미 끝났다고……."

"응……."

"어른이 됐단 말이야, 우리들은……."

"……응. ……응."

한껏 고개를 끄덕이며 루나는 친구를, 뒤덮을 듯이 굳게 끌어안았다.

플랫폼에 우두커니 서서 그 광경을 지켜보던 나는.

신칸센 안에서 지금 세키야 씨는 홀로 무슨 생각을 하고 있을지 상상했다.

◇

그 뒤, 우리들은 오오미야 역 근처 번화가에 있는 선술집으로 들어갔다.

"이런 날은 안 마시면 배겨낼 수가 없어."

야마나는 생각했던 것보다 멀쩡했다. 눈은 비록 울어서 발갛게 부어 있었지만, 그것만 빼면 평상시의 모습을 되찾은 상태였다.

밝고 떠들썩한 분위기의 가게 안은, 살짝 야마나가 알바를 했던 선술집 '바카스'를 연상시켰다. 그녀가 정상적으로 작동하는 것처럼 보이는 건, 이 상황 때문일지도 모른다.

"그래 그래, 마시자 마시자~! 오늘은 나도 같이 마셔 줄게!"

친구를 위로하기 위해서인지 루나도 밝게 행동하고 있다. 선언한 대로, 손에는 짐 빔의 하이볼잔이 들려 있었다.

"류토, 내일이면 드디어 스무 살이네."

"그랬어? 그럼 날짜가 바뀔 때까지 마시면 건배할 수 있겠다."

"엑?!"

아직 저녁 7시밖에 안 지났는데, 남은 시간이 너무 길다.

"좀 봐줘."

"맞아~, 나도 내일 출근해야 한다구."

루나가 웃으며 편을 들어 주었다.

그런 그녀였지만.

"⋯⋯어쩔 거야, 이거."

2시간 뒤, 루나는 내 옆에서 테이블에 푹 엎드린 채, 포갠 두 손에 뺨을 얹고 평온한 숨소리를 내며 자고 있었다.

"으, 으응⋯⋯. 안 되면 택시라도 타야 하나⋯⋯."

여기서 루나의 집까지 가려면 만 엔 가까이 들지도 모르지만, 때가 때이니만큼 어쩔 수 없었다.

"⋯⋯무리해서 같이 마셔 줬어. 평소엔 안 마시면서⋯⋯ 나 때문에."

야마나가 손으로 턱을 괸 채 곁눈질하듯 친구의 잠든 얼굴에 시선을 주었다.

그 앞에는 얼음이 녹아 무색에 가까워진 매실주 잔이 놓여 있었다.

"⋯⋯나, 더는 무리일지도."

불현듯, 그녀가 그렇게 중얼거렸다.

"선배랑, 헤어질까 봐."

"⋯⋯뭐⋯⋯."

그 말이 너무나도 뜻밖이었기에, 나는 야마나의 진의를 헤아리기 힘들어 그녀를 바라보았다.

"선배가 끌어안아 주면, 불안이 사라져. 하지만 한 걸음만 떨어져도 다시 불안해져. ⋯⋯정말 바보 같지."

그렇게 턱을 괸 손을 기울여 테이블에 쓰러지듯이 팔에 얼굴을 얹었다.

"정말 바보야……. 이럴 거면 따라가면 됐을 텐데 말이야. 그렇게 소중한 사람이면. 이렇게 후회할 거면……."

촉촉한 눈망울로 야마나는 테이블을 응시하며 중얼거렸다.

루나의 맞은편에 앉아 있는 그녀에게서는 술에 취한 기색은 별로 보이지 않았다. 드라이브 때는 지금보다 더 많이 마셨던 기분이 드는 걸 보면, 이 말은 상심으로 인해 터져 나온 본심이리라.

"……저번에, 네가 '나한테도 그런 때가 있었다'고 말해 줬잖아?"

잠시 고민하다 매지컬 씨에서 야마나와 대화를 나눴던 기억을 떠올렸다.

─불안해. 나랑 다르게 선배는 다른 여자하고도 경험해 봤으니까. 같은 학교 동창들 중에 전 여친도 있는 건 아닐까 싶어서.

─나도, 그랬어. 루나랑 막 사귀기 시작했을 때…… 루나한테 그런 불안함을 느꼈던 시기가 있었어.

"아아…… 응."

"그래도 역시, 나랑 너는 달라. 루나는 바람 따윈 피우지 않겠지만…… 선배는 어떨지 알 수 없어."

굳은 얼굴로 그렇게 말하고는, 몸을 일으킨 야마나가 몰래 한숨을 내쉬었다.

"내가 믿을 수 없는 건, 지금까지의 선배가 아니라…… 앞으로의 선배라는 걸 깨달았어."

다시 턱을 괴며 야마나가 나를 보았다.

"그도 그럴 게 조금 있으면 의사가 되잖아? 당연히 온 일본의 여자들이 노리겠지. 심지어 애인은 도쿄에 있다고. 선배한테 바람을 피울 생각이 없어도, 여자 쪽에서 전력으로 가로채려고 들걸."

"그런 일은……."

"무리. 믿을 수 없어. 이젠 같은 땅 위에 있는 것도 아닌데."

두둔하려던 내 말을, 야마나가 단호하게 차단했다.

그러더니 이내 울 것처럼 불안한 표정을 지었다.

"……앞으로 난, 평소보다 조금만 연락이 늦어도 틀림없이 선배를 의심해 버릴 거야. 그리고 그 감정을 선배에게 터뜨리겠지. 그런 추한 내 모습을, 더는 선배한테 보이기 싫어."

야마나는 꾹 눈썹을 찌푸렸다.

"그럴 바엔, 이대로…… 서로에게 아름다운 추억인 채로, 이 사랑을 끝내는 편이 나을 것 같다는 기분이 들어."

조용한 결의를 품은 어조로 말한 뒤, 야마나는 자조하듯이 미소 지었다.

"이젠 그것 말고는 방법이 떠오르지 않아. ……난 바보니까."

"……."

야마나는 바보도, 어리석은 사람도 아니다.

분명 너무 많이 참은 거다.

생각해 보면 고2 문화제에서 다시 만났을 때부터, 두 사람이 함께한 좋은 시간은 정말 얼마 되지 않았다.

세키야 씨는 금욕하는 장수생 생활을 4년이나 계속한 끝에 합격의 기쁨도 잠시, 북쪽 땅으로 떠나고 말았다.

"뭐가 정답이었을까? 일도, 가족도, 친구도…… 다 버리고, 선배랑 같이 갔어야 했던 걸까?"

양손으로 눈가를 누르며 야마나가 울음이 섞인 목소리로 중얼거렸다.

"바로 그런 결단을 내릴 수 있을 만큼, 나는 선배를 믿을 수 없었어. 믿게 해 줄 만큼의 시간과 말도, 선배는 주지 않았어."

……알아, 알아.

하지만.

"선배와 사귀고 나서…… 만나지 못하는 날이 이어지던 3년 동안, 내 마음을 지탱해 준 건 선배가 아니었어."

야마나는 그렇게 말하더니 피곤한 표정으로 미소 지었다.

"……나, 사실은…… 렌이랑…… 제일, 떨어지기 싫었어."

"……."

예상치 못하게 등장한 친구의 이름에 나는 퍼뜩 놀라 숨을 삼켰다.

"어쩌면…… 나는, 렌과 사귀는 편이 행복할지도 몰라."

그렇게 말하며 미소 짓는 야마나의 얼굴은 온화했다.

"선배하고 있을 때는, 언제나…… '보고 싶다'고 말하는 건 내 쪽이었으니까. 선배한테 나 같은 건 있든 없든 아무래도 상관없는 존재일까 봐, 늘 불안했어."

"……."

아냐. 오해야, 야마나.

—여자는 참 부러워. 주저없이 먼저 '보고 싶다'고 말할 수 있어서.
—야마나를 보고 싶어.

세키야 씨는 그런 사람이잖아.
너도 알고 있잖아?
그런 그를 좋아했던 거잖아?

하지만, 말하지 못했다.
지금 그 말을 했다간 야마나는 닛시를 선택하지 않고 이대로 머나먼 땅에 있는 세키야 씨를 계속 그리워할지도 모르니까.

나 때문에.
제삼자의 무책임한 말에.

—니코루가 다른 남자를 좋아해도 괜찮아. 옆에 있을 수만 있다면.

친구의 오랜 짝사랑이, 드디어 결실을 맺을지도 모르는 이 순간에.

나는 어떡하면 좋지?

야마나가 둘이면 좋을 텐데.
라는 생각이.

이 시점에, 그런 비현실적인 소망을 품고 만 나는…….

……세키야 씨였다면.
세키야 씨는 야마나가 어떻게 해 주기를 바랄까.

—말할 수 있겠냐고. 너무 징그럽잖아. 그런 캐릭터도 아닌데.

"……."

야마나에게 '전하지 않는다'는 선택을 한 건 세키야 씨 본인이다.
그러니 나는…….
야마나가 세키야 씨의 결단을 존중해 주길 바랐다.

—힘들 때마다, 자주 망상했어. 야마나랑 결혼해서 아이를 낳고
내가 의사로 일하고……. 집으로 돌아오면 저 녀석이 아이를 보살피
면서 저녁 식사를 만들어 주고, '어서 와.'라고 말해 주는……. 그런
상상을 하면 피로도 날아가서…….

―그런 미래를 이루려고, 나도 열심히 노력할 수 있었던 거야. ……요 3년 반 동안.

"……윽……."

정신이 들자, 나는 이를 악물며 눈물을 참고 있었다.

"……왜 네가 울고 있어? 술도 안 마셨으면서."

야마나가 조금 어이없어하는 얼굴로 나를 보았다.

그러더니 불현듯 정신을 차린 것처럼 쓴웃음을 짓고는 턱을 괸 손을 풀고 먼 곳을 바라보았다.

"……이상하지. 내가 왜 너한테 이런 얘길 하고 있는 걸까. 루나가 아니라."

정말로.

나도 그렇게 생각한다.

왜 지금, 야마나 앞에 있는 사람이 루나도 닛시도…… 세키야 씨도 아니라 나인 건지.

울고 있는 그녀를 안고 위로해 줄 수도 없는 쓸모없는 사람인데.

"……뭐, 너라도 상관없어. 누구라도 들어 주지 않으면 마음이 무너질 것 같거든."

살짝 자포자기한 기색으로 말하며 야마나는 먼 곳을 응시했다.

가게 안은 피크를 넘긴 시간이라 우리들 양옆에 놓인 테이블에는 연회 뒤에 먹고 남은 그릇과 유리잔이 꽤 오래전부터 방치돼 있었다.

그런 어수선한 가게 안을 둘러보며, 야마나는 눈물이 맺힌 눈으로 중얼거렸다.

"이제, 그만해도 되겠지? 선배를 좋아하는 거."

그녀가 눈을 깜빡였다. 화장으로 늘린 긴 속눈썹에 튕겨 나가듯 눈물방울이 테이블에 흘러 떨어졌다.

"힘들어…… 무리…… 더는 한계야."

긴 갈색 머리를 기다란 손톱을 붙인 손가락으로 빗어 내리며 야마나가 입술을 떨었다.

"이렇게 좋아하는데…… 잘되지 않는 사랑도 있구나……."

쥐어 짜낸 듯이 애절한 목소리가 멀리 있는 취객의 웃음소리에 섞여 녹아들자 나는 괜히 더 슬퍼졌다.

"있지, 나…… 정말 많이 노력했지?"

아아.

이제 더는, 이 결정을 뒤집는 건 불가능하다.

그녀는 선택한 것이다.

세키야 씨가 아닌, 닛시와 살아가는 길을.

"……."

그렇게 생각하자 더는 눈물이 솟구치지 않았다.

야마나는 무척 괴로웠으리라.

지금 이 순간에도, 그 마음은 찢어질 것처럼 아플 게 분명했다.

다정하게 다독여 주고 싶다.

지금 여기에 없는 세키야 씨의 몫까지.

만약 미래에 나에게 아이가 생기고.

그 아이가 혹시라도 여자애라면.

그리고, 그녀가 눈앞에서 슬퍼하고 있다면.

어쩌면, 나는 이런 기분이 들지도 모른다.

어째서인지 불쑥 그런 생각이 들어 참을 수가 없어서.

"……?!"

테이블 맞은편에서 손을 뻗어 머리를 쓰다듬는 내게, 야마나는 조금 놀란 표정을 지었다.

"……"

하지만 아무 말도 하지 않고 그저 조용히 눈물을 흘렸다.

내 이 손은 지금 세키야 씨의 손이다.

"오랫동안, 정말 많이 애썼어."

세키야 씨의 낮고 차분한 목소리를 떠올리며.

세키야 씨였다면 그녀에게 어떤 말을 걸었을까.

그런 생각을 하며 나는 말했다.

"……이제 괜찮아. 고생 많았어."

그렇게 속삭인 순간, 야마나의 두 눈에서 눈물이 흘러나왔다.

세키야 씨도 야마나가 없었다면 그 긴 장수생 생활은 분명 훨씬 힘들고 암울하고 고통스러워졌을 것이다.

그녀라는 존재가 세키야 씨에게 얼마나 마음의 버팀목이 되었는지.

나는 잘 알고 있다.

나만은.

내 가슴에만큼은, 평생 남겨둘 테니까.

"좋아했어. 세키야 씨는…… 야마나를. ……진심으로."

그러니, 내 입으로라도 말하게 해 줬으면 좋겠다.

세키야 씨의…… 그리고, 너의 친구로서.

"그동안 고마웠어."

세키야 씨를 좋아해 줘서.

그에게 셀수 없을 만큼 많은 행복을 선사해 줘서.

"……웃……."

그런 생각을 했더니 나도 다시 눈물이 나서.

"그러니까, 왜 너까지 우는 거냐고오…… 웃."

그에 자극당한 듯이 야마나가 얼굴을 일그러뜨리며 오열했다.

"그야……."

창피함을 느끼며, 나는 손등으로 눈물을 훔쳤다.

"그야, 친구잖아…… 우린."

콧물을 훌쩍이며 대답하자 야마나는 살며시 웃었다.

"……그런가."

그 눈꼬리에서 한 줄기 물방울이 흘러내렸지만, 새로운 눈물은 더 이상 샘솟지 않았다.

"그러게."

그렇게 말하며 이상하다는 듯이 픽 웃었다.

"……너는, 역시 엄청 착한 녀석이야."

화장이 살짝 지워지는 바람에 얼룩덜룩해진 눈으로 미소 지은 야마나는.

슬쩍 눈을 맞추며 웃은 내게 자신의 잔을 내밀었다.

"건배~!"

우리들은 얼음이 사라진 매실주와 이미 바닥난 멜론 소다 잔을 부딪치며 건배했다.

이루지 못한 꿈은 어디로 가는 걸까.

세키야 씨가 꿈꿨던 야마나와 함께 만들어갈 행복한 가정은……
태어났을지도 모르는 아이의 생명은.

이곳에 없는 세계선의 어딘가에서 분명 계속돼 가겠지.

나는 그렇게 믿고 싶다.

왜냐하면 그것은, 세키야 씨에게는 마치 정말로 존재하는 것처럼 늘 머릿속에 있어서 그의 영혼을 떠받쳐 주었던 하나의 '현실'이었으니까.

그렇게 생각할 수 있었으니까.

……그래서.

◇

 니코루랑 사귀게 됐어.

얼마 뒤, 그런 연락이 왔을 때.

나는 진심에서 우러나온 미소로 말할 수 있었다.

"축하해, 닛시."

다음 날 오후 3시, 나는 루나와 신주쿠에서 만나기로 했다.

내 생일 축하를 해 줄 모양이다.

실은 하루 연차를 냈지만, 매지컬 씨나 세키야 씨의 배웅으로 최근 갑자기 휴가를 신청할 일이 많았던 탓에 벌충을 하느라 오전에만 출근을 하게 됐다고 했다.

"류토!"

빅 카메라 입구 근처의 인파에 묻혀 있던 나를 발견하고 루나가 달려왔다.

"기다렸어?"

"아니, 괜찮아."

"류토는 늘 먼저 와 있더라. 나도 늦지 않게 오고 있는데 말이지~, 분해."

"하하."

그런 얘기를 나누며 우리들은 걷기 시작했다.

루나의 손이 내 재킷 호주머니로 슬쩍 파고들어 와 겨우내 보온을 유지하는 버릇이 들어서 타성적으로 넣고 있던 내 손을 붙잡았다.

기온은 많이 높아져서 오늘의 최고 기온은 20도인 듯했다.

예상보다 개화 시기가 살짝 늦어진 도쿄의 벚나무도, 하루 이틀

내로는 개화하게 될 것 같다.

봄이 바로 코앞이다.

우리들은 가부키초 방향으로 동쪽 출구를 이동해 영화관으로 향했다.

오늘은 오랜만에 같이 영화를 보기로 했다. 작년에 유명한 애니메이션 영화감독의 최신작이 공개돼서 그 장기 흥행이 마침내 끝을 맺게 되었기에, 내려가기 전에 봐 두자고 얘기를 한 것이었다.

영화관에 온 건 3년 전 밸런타인데이 이후로 처음이다. 그때의 기억을 떠올리자 가슴이 두근거렸다.

사람들로 북적이는 입구 근처에서 매표소로 가려고 하는데, 루나가 '이쪽' 하고 내 소매를 당겼다.

"어?"

아무도 기다리고 있지 않은 엘리베이터를 타고, 루나가 이끄는 대로 도착한 층에 내렸다.

"프, 플래티넘 로비?"

흰색을 기조로 한 고급스러운 프런트가 나와서 나는 당황했다.

"류토의 스무 살 생일이니까, 살짝 분발해 봤어."

"엉?!"

루나가 프런트에 이름을 말하자, 담당 직원이 통로를 안내해 주었다. 그렇게 도착한 곳은 놀랍게도 별도로 마련된 대합실이었다.

막 넓지는 않지만 고급스러운 느낌의 패브릭 소파가 중앙에 놓여 있고, 기분 탓인지 조명에서도 무드가 넘치는 듯했다.

"……엇, 여긴 뭐야? 비싼 거 아냐?"

소파에 앉아 담당 직원이 떠난 뒤 물어보자, 옆에 앉은 루나가 '에헤헤' 하고 웃었다.

"괜찮아. 난 사회인이니까."

그렇게 말하며 가져온 종이 봉투에서 상자를 꺼냈다.

"그래도…… 조금 무리한 건 사실이니까, 선물은 이걸로 괜찮을까?"

테이블에 상자를 올려놓고 루나가 뚜껑을 열었다.

"케이크를 만들었어. 생일 축하해, 류토."

"……엇, 굉장하다!"

그 케이크에는 시중에 판매하는 것에서는 좀처럼 보기 힘든 장식이 올려져 있었다. 내 나이인 '20'이라든가 '축하해, 류토'라고 적힌 하트 모양 같은, 다양한 파스텔 컬러의 쿠키로 겉면이 덮여 있다.

"미즈즈 씨가, 오사카에 살았을 때 아이싱 쿠키 교실을 다녔대. 그래서 요 며칠 조금 배웠어."

"아이싱……?"

"설탕으로 그림을 그리는 거야. 이런 거."

루나가 케이크 위의 파스텔색 쿠키를 가리켰다.

"그렇구나."

"케이크는 샹드플뢰르 시절에 파티시에에게 배운 요령을 떠올리면서 만들었어!"

루나의 인생에 관련되는 사람이 늘어날수록, 루나는 점점 레벨업

해 나간다.

　여태까지도 차고 넘칠 만큼 멋진 여자애였는데, 이제는 더 매력적

인 여성으로 성장해 가고 있다.

　"……고마워, 루나."

　처음 보는 아이싱 쿠키인지 뭔지라는 케이크를 바라보며, 나는 그

사실을 실감하고 미소 지었다.

　"그나저나 어제는 미안해……. 하이볼 한 잔에 잠들어 버릴 줄은

상상도 못 했어."

　케이크를 도로 상자에 넣은 루나가 얼굴 앞에서 두 손을 모았다.

　"괜찮아. 오늘 아침엔 제대로 일어났어?"

　"응, 4시에 일어났어."

　"엇, 오히려 너무 일찍 일어난 거 아냐?"

　"하지만 오늘은 출근하는 날이라 케이크를 만들려면 아침 일찍

일어나야 했거든. 화장도 제대로 하고 싶었고. 쿠키는 어제 미리 만

들어 뒀지만…… 그것 때문에 잠을 많이 못 자서, 선술집에서 잠들

어 버렸지 뭐야, 헤헤."

　내가 걱정을 하게 만들 순 없다고 생각했는지, 루나는 허둥거리며

부산스럽게 변명했다.

　"최근에 일 때문에 조금 고민했으니까, 그래서 피로가 쌓이기도

했을 거야."

　"그러고 보니, 그 일 말인데……."

계속 마음에 걸렸던 얘기를 꺼내자, 루나는 알고 있다는 듯이 고개를 끄덕였다.

"응, 권역 매니저에게 말했어. 엄청 아쉬워 하긴 했지만. 좋은 사람이니까 내 마음을 존중해 줬어."

"엇……."

그 말은…… 하고 생각하는데, 루나가 진지한 표정으로 나를 바라보았다.

"나, 후쿠오카에는 가지 않을 거야."

내 숨을 삼키는 소리가, 단둘뿐인 조용한 방에 또렷이 들렸다.

"오늘 정식으로 다른 사람에게 임명장이 나왔어. 그래서 겨우 류토에게 말할 수 있게 됐어."

루나는 그렇게 말하며 나에게 미소를 지었다.

"나, 앞으로도 류토의 옆에 있을 테니까."

"……그렇구나……."

그야말로 몇 년이 걸릴지 모를 원거리 연애도 각오하고 있었기에, 마음이 놓이면서도 맥이 탁 풀리는 듯한 기이한 탈력감을 느꼈다.

그러자 문득 루나가 전에 했던 말이 떠올랐다.

—내 마음은 이미 정해졌어. 하지만, 지금보다 험난한 길이 될 게 분명하니까…… 마지막 결단을 내리지 못하고 있었을 뿐이야.

그건 무슨 뜻이었을까?

"……루나는, 그래도 괜찮아?"

"응. 나한테는 더 하고 싶은 일이 있으니까."

그때, 노크와 함께 방문이 열리더니 담당 직원이 자리에 앉을 때 주문한 음료수를 가져왔다.

키가 큰 잔에 담긴, 미세한 기포가 올라오는 연한 금빛 음료 두 잔.

"주문하신 샴페인, 가져왔습니다."

담당 직원은 그 밖에도 고급 초콜릿 꾸러미가 담긴 유리잔, 젤라토와 마들렌이 담긴 그릇을 놓고 나갔다.

"녹겠어. ……먼저 이것부터 먹을까."

그렇게 말하며 젤라토를 먹은 뒤 스푼을 내려놓은 루나가 입을 열었다.

"나, 보육교사가 되고 싶어."

"엥…….."

생각지도 못한 고백에, 초콜릿을 입에 넣던 내 움직임이 멈췄다.

"보, 보육교사? 라면, 어린이집 선생님을 말하는 거야?"

내 말에 루나가 고개를 끄덕였다.

그리고는 살짝 미소 지었다.

부드럽고 다정한 눈빛으로.

"나, 아기가 좋아. 하루나랑 하루카를 만나기 전까지는 스스로도 알지 못했지만."

테이블에 놓인 샴페인 잔 부근을 응시하며 루나가 눈을 가늘게 떴다.

"어린이는 가능성의 덩어리야. '이 아이에게는 어떤 꽃이 필까' 하고 매일 보살피면서 생각해. 머리끈을 가지고 놀면 미용사가 되려나 싶고, 공을 가지고 놀면 배구 선수가 되려나 싶지. 너무 단순한가?"

나를 보며 쑥스러운 듯이 웃고 나서, 루나는 다시 고개를 돌려 내게 옆모습을 보여 주었다.

"하지만 그렇게 계속 지켜보다 보면, 어느 날 문득 깨닫게 돼. 이제는 결코 되돌릴 수 없는 성장의 증거를."

그 눈빛에 강렬한 빛이 깃든다.

"그리고 느끼는 거지. 나도 이 아이들과 마찬가지로 되돌릴 수 없는, 한 번뿐인 지금을 살고 있다는 걸."

그렇게 말한 루나는 살짝 쑥스러운 기색으로 나를 보며 진지해져 있던 표정을 누그러뜨렸다.

"의류업계는 유행이 너무 빨라서. 늘 새롭고 멋진 옷을 입을 수 있는 건 흥분되지만 현장에 있다 보면 조금 피곤해져. 전 시즌에 유행했던 아이템이 바로 외면당하기도 하고. 그런 걸 보면, 왠지, 태연해지지 못하겠더라고……. 아직 그 옷을 입고 다니는 손님들도 있잖아? 내가 바로 얼마 전에 '요즘 유행하고 있어요.'라고 추천해서 사게 만들었는데…… 어쩐지, 그게 거짓말이 돼 버린 것 같아서. 그래서 '그건 이제 유행이 지났어요. 지금은 이게 유행이에요.'라고 새로운 걸 사게 만들면, 왠지…… 그건, 정말로 사기꾼 같잖아?"

루나가 거짓말을 못 하는 사람이라는 건 나도 잘 알고 있다.

"……그런 게, 조금 괴로웠어."

그녀는 그렇게 말하며 난처하게 웃는 표정을 지었다.

"뭔가…… 뭘까. 적성이 있다고는 스스로도 생각하는데 말이야. 접객을 하면서도 즐거울 때가 더 많고."

루나는 타고난 인싸로 사람을 대하는 일에는 나보다 수십 배는 더 능숙하다고 생각하지만…… 아주 조금 서툰 구석이 있다는 것을 느꼈다.

분명 그것이 이런 면에서 드러나고 있는 것이리라.

"하지만 루나, 보육교사가 되려면…… 자격시험을 칠 거야? 지금 하는 일은 어쩔 건데?"

루나는 침착한 얼굴로 고개를 끄덕였다.

"응. 난 고졸이니까 자격증을 따려면 전문학교를 다녀야 한다는 것 같아. 그래서 근무 시간을 자유로이 조정할 수 있게 부점장 자리에서 물러나게 해 달라고 하고…… 그게 무리면 알바생으로 돌아간다든가? 그런 것도 가능하려나? 아직 상담해 보지 않아서 모르겠어."

"그렇구나……."

"무직으로 학교를 다니는 건 돈 때문에 힘들잖아? 그래서, 어느쪽으로 가든 일을 하면서 학교를 다니게 될 테니까…… 아마 지금보다 바빠질 거라 생각해."

앞으로의 일을 고민하고 있는 건지 미간이 조금 험악해졌다.

"게다가 난 공부를 잘 못하니까~. 그것도 걱정되고."

루나는 그렇게 말하며 에헤헤 하고 웃었다.

그런데도 그런 그녀가 스스로 공부하는 길을 선택하다니.

그만큼 되고 싶은 직업을 찾았다는 뜻이겠지.

"그래도, 하기로 결심했으니까. 이대로 '뭔가 아닌데.'라고 생각하면서 지금 하는 일을 계속하고…… 후쿠오카에서 점장이 되고, 지금의 길에서 점점 커리어를 쌓아 나가 봤자, 그건 내가 가고 싶은 곳으로는 절대 도착하지 않을 길이잖아?"

루나는 내 눈을 보면서도 스스로에게 타이르듯이 말했다.

"그러니까, 이젠 열심히 하는 수밖에 없어."

"……그렇구나."

홀가분한 표정의 루나를 보며, 나는 이제 괜한 소리는 할 필요가 없다는 것을 깨달았다.

"응원할게."

"고마워!"

루나가 생긋 웃었다.

여신처럼 나를 매료해 마지않는 환한 얼굴로.

"자, 그럼 마시자!"

루나의 말에 나는 샴페인 잔을 손에 들었다.

"생일 축하해, 류토."

둘밖에 없는 방 안에서, 차분한 음색으로 말하며 루나가 내 눈을 바라본다.

"류토의 스무 살 생일과……."

그렇게 말하며 잔을 든 루나의 손으로 나도 내 잔을 가져갔다.

"루나의 새출발에."

내 말에 루나가 낯간지러운 기색으로 웃는다.

"건배♡"

유리잔이 쨍, 하고 경쾌한 소리를 냈다.

루나가 잔에 입을 대는 것을 보며, 나도 내 샴페인을 한 모금 마셨다.

"……."

"……어른의 맛은 어때?"

루나가 누나라도 된 것처럼 거만한 얼굴로 흥미진진하게 나를 쳐다보았다.

그래서 솔직한 소감을 말하자니, 조금 분했지만.

"……조금 써……."

입술에 묻은 샴페인 방울을 핥고 얼굴을 찡그리는 나를 보며 루나는 해맑은 얼굴로 웃었다.

"후후, 류토 귀여워♡"

그리고는 내 쪽으로 몸을 기울여 얼굴을 들여다보듯이 짧은 키스를 해 주었다.

◇

상영 시작 전에 다시 담당 직원의 안내를 받아 향한 극장의 플래티넘 룸은 2인 전용 발코니석이었다.

유난히 폭신폭신한 소파는 둘이 앉기에는 지나치게 충분하고도 남을 정도의 넓이로, 앉으면 스크린과 눈높이가 같아졌다. 아래를 엿보자 밑층에는 좌르륵 늘어선 일반 객석이 보였다. 마치 발코니 석에서 우아하게 오페라를 감상하는 중세 귀족이 된 것 같은 기분이다. 잘은 모르지만.

"와~ 엄청 푹신푹신해!"

루나는 소파에 몸을 푹 파묻으며 기뻐했다.

"왠지 자 버릴 것 같아~!"

그 말이 씨가 됐다는 걸 깨달은 건 영화가 시작되고 나서, 체감상 1시간 정도가 지났을 무렵이었다.

"……?"

어깨에 닿는 감촉이 있어서 확인하자, 루나가 내 어깨에 기대고 있었다. 그 눈은 감겨 있고, 약한 숨소리도 들렸다.

"……"

오늘도 잠을 잘 자지 못했고, 상영 전에 샴페인을 마셔 버린 탓도 있으리라.

너무나도 기분 좋게 자고 있어서 깨우기도 꺼려졌다.

3년 전에 영화를 봤을 때가 기억났다. 그때도 이렇게 루나에게 어깨를 빌려줬다.

그 뒤로 3년인가, 하고 새삼스레 생각했다.

눈앞의 테이블에는 채 다 마시지 못한 샴페인 잔이 놓여 있었다. 바닥 쪽에서 작은 기포가 끊임없이 솟아오르고 있다.

화장실에서 몰래 검색해 봤더니, 이 플래티넘 룸의 가격은 2인에

3만 엔인 듯했다.

—괜찮아. 난 사회인이니까.

—그래도…… 조금 무리한 건 사실이니까, 선물은 이걸로 괜찮을
까?

내가 정식으로 성인이 되는 생일이라 무리해서 특별하게 축하해
준 거겠지.

그렇게 생각하자 마음 깊은 곳에서 애틋함과 고마움이 솟구쳤다.

루나가 옆에 있어 주기만 해도 나는 충분한데.

무릎 위에 내팽개쳐진 루나의 손을 내 무릎 위로 가져와 손을 잡
았다.

"……."

이러면 깰까 싶어 반응을 살펴봤지만, 루나는 살짝 고개를 움직였
을 뿐 눈을 뜰 기미를 보이지 않았다. 그렇다면 더는 어쩔 수 없지.

루나의 냄새와 온기를 느끼며.

아주 살짝 이야기가 애매해져 버린 영화에 다시 집중하고자, 나는
스크린을 바라보았다.

◇

"아~, 설마 오늘도 자 버릴 줄은 상상도 못 했어~!"

영화관 옆에 있는 빌딩의 일본식 레스토랑에서 루나가 기억이 생
각난 듯 얼굴을 가렸다.

우리들은 루나가 예약한 카마쿠라*풍 방 안에 마주 앉아 저녁 식사를 하고 있었다.

"어쩔 수 없지, 피로가 쌓여 있었으니까."

"어떻게 됐어? 세상은 구했어?"

"구했어, 두 사람의 사랑의 힘으로."

"두 사람은 어떻게 됐어?"

"음~, 꼭 다시 만나자 같은 느낌으로, 여주인공은 집으로 돌아갔어."

"엥, 그게 뭐야?! 그렇게 서로 사랑했는데?!"

"뭐, 그 감독 작품은 늘 그렇잖아."

"헐……."

내가 가르쳐 준 영화의 결말에 루나는 불만이 남은 눈치였다.

"그렇게 굉장한 연애를 했는데, 결혼도 하면 좋잖아."

루나는 연애 요소가 있는 작품을 보면 어김없이 '결혼하면 좋겠다'고 말했다.

그건 분명 그녀가 동경하는 연애의 이상이 그것에 있기 때문이리라.

그 이상을 실현하기 위해 내가 노력하고 있으니까.

픽션 속 연애의 결말이 만족스럽지 못해도 지금은 양해해 줬으면 좋겠다.

라니.

* 눈으로 만든 움집.

마음속의 나는 정말이지 시인이자 달변가다.

"……있지, 전혀 상관없는 얘기긴 한데."

그때, 루나가 난데없이 화제를 바꿨다.

"얼마 전에 권역 매니저한테 엄청 기분 나쁜 소리를 들었어!"

그 얼굴에는 그녀에게는 드물게도 분노가 어려 있었다.

"요즘 남자 친구를 통 못 만난다고 했더니, '그럼 틀림없이 업소에 다니고 있을걸.'이라지 뭐야."

"엑?"

"류토는…… 그런 곳, 안 가지……?"

"아, 안 갔어."

생각지도 못한 의혹을 받은 것에 동요해 말을 더듬는 바람에 더 당황했다.

"……진짜야?"

아니나 다를까, 루나는 불안한 듯 눈을 치켜뜨며 되물었다.

"응."

나는 한껏 고개를 끄덕였다.

"……모르는 사람이랑 접촉하는 것도 싫고, 굳이 비싼 돈을 내면서까지 그런 경험을 하고 싶지는 않다고 할까……. 벼, 병에 걸릴까 무섭기도 하고…… 애초에 나한테는 루나가 있으니까."

"그래도 권역 매니저는 '남자라면 다들 간다'고 했어."

루나는 거의 울상을 짓고 있었다. 그 모습이 귀엽기도 하고 안쓰러워 보여서, 내 몸의 결백을 증명하고 싶어 마음이 급해졌다.

"아니, 꼭 '다들' 그런 것만은 아냐⋯⋯. 그 권역 매니저 주변 사람들은 '다들' 가고 있을지도 모르지만, 나는 아마 그런 사람들과는 친해질 수 없을 거고⋯⋯. 최소한 내 주변 남자들은 아무도 가지 않았을 거라 생각해⋯⋯."

"그래? 정말로?"

"응. ⋯⋯정말로."

내가 재차 고개를 끄덕이자 루나는 일단 진정한 기색이었다.

"그럼, 욕망이 솟구칠 때는 어떡해?"

"⋯⋯야한 걸 보거나, 루나를 생각하면서 혼자⋯⋯."

"아직도 할 때 나를 생각해 주는 거야?"

루나는 그제야 불안이 가신 얼굴로 내 쪽을 향해 몸을 내밀었다.

이런 얘기는 부끄러운데 루나는 이 화제가 마음에 드는 모양이다.

"사귄 지 벌써 4년이 다 되어가는데도?"

"죽을 때까지 생각하면서 할걸."

자포자기하는 심정으로 대답한 내게 루나는 살짝 눈을 빛낸 뒤 뺨을 부풀렸다.

"엥~, 그건 싫어. ⋯⋯같이 하자."

"엑⋯⋯?!"

대담한 루나의 말에 나는 귀를 의심하며 할 말을 잃었다.

루나는 부끄러운 듯이 그런 내게서 시선을 돌렸다.

"⋯⋯알바생으로 돌아가면 근무 시간표에서 쉬는 날을 많이 받을 수 있잖아? 그러니까…… 둘이서 여행을 가지 않을래? 여름쯤에 오키나와라든가. 3박 정도로."

"사, 3박……."

루나와 남쪽 섬에서 보내는 아찔한 밤의 망상이 순식간에 뇌리를 스쳐 지나가서 나는 군침을 삼켰다.

"……류토가 옆에 없으면, 숨을 잘 쉴 수가 없어."

불현듯 그렇게 속삭이는 목소리에 시선을 보내자, 루나는 테이블 위의 우롱차를 보고 있었다.

"류토하고 있을 때만, 제대로 살아 있다는 생각이 들어."

그 입술에는 미소가 어리고, 눈동자에는 요염한 열기가 감돌고 있다.

"류토의 심장은 내 또 하나의 마음이야."

그리고 루나는 나와 눈을 마주쳤다.

"졸업하고 나서 2년 동안 계속 그랬어."

부끄러운 듯이 내 눈을 힐끔거리며 루나가 넌지시 속삭였다.

"그러니까, 슬슬…… 알겠지?"

"……응."

빠르게 뛰는 심장 소리를 들으며, 나는 어색하게 고개를 끄덕이고는 내 우롱차를 마셨다.

식사를 마치고 가게를 나온 우리들은 빌딩의 7층에서 1층으로 내려와 길로 나가려고 가게 문을 열었다.

길로 나가려면 몇 단의 계단을 올라갈 필요가 있었다. 그 계단 위에는 친밀해 보이는 젊은 남녀가 이쪽에서 등을 돌리고 서 있었다.

두 사람은 펑크록풍의 온통 검은색 옷을 입고 있었는데, 남자의 손이 여자의 검은 플리츠 스커트로 뻗었다.

"……?!"

다음 순간, 그 손이 스커트를 젖혔고, 검은 레이스로 된 T팬티에서 밀려 나온 하얀 엉덩이가 출렁거리며 모습을 드러냈다.

남자의 손이 그 엉덩이를 애무하듯이 어루만졌다.

층계 아래에 있던 우리들의 바로 눈앞에서 펼쳐진 광경에 나는 너무 놀라 그대로 시선을 고정하고 말았다.

"……음, 콜록."

루나가 친절하게 헛기침을 했다.

그러자 남자의 손이 엉덩이에서 황급히 떨어지더니, 커플은 당황한 듯이 우리들을 돌아보았다.

"……."

그 옆을 지나가며 10초 정도, 둘 다 말이 없었다.

"……예쁜 엉덩이였지. 작고."

그때, 루나가 불쑥 중얼거렸다.

"……응."

"잠깐, 류토도 봤어?"

"엇, 그, 그치만 바로 눈앞이었다고. 볼 수밖에 없었어."

당황하는 나를 보며 조금 화가 난 듯한 표정을 짓고 있던 루나는 눈썹을 늘어뜨리며 '후후' 하고 웃었다.

"둘만 남을 때까지 참을 수 없었던 걸까? 저 남자 친구는."

"아마도?"

이상한 해프닝을 만나 두근거리는 심장을 억누르며, 나는 짤막하게 대답했다.

루나와 나는 손을 잡고 역을 향해 야스쿠니 거리를 걸었다. 낮에는 따뜻했지만, 밤바람은 역시 아직 조금 쌀쌀했다.

—둘이서 여행을 가지 않을래? 여름쯤에 오키나와라든가. 3박 정도로.

루나의 말을 떠올리자 손 안의 온기에 가슴이 들떴다.

"……우리는, 좀 이상한 것 같아."

잠시 후, 루나가 조금 부끄러운 듯이 중얼거렸다.

"……그런가?"

나도 부끄러워져서 난처한 미소를 꾹 눌러 참았다.

세계는 성욕으로 돌아가고 있다.

거리에는 아름다운 남녀의 야한 사진이 넘쳐흐르고, SNS를 켜면 섹시한 모습의 미소녀 일러스트가 눈에 날아들어 온다.

남성은 52초마다 한 번씩 성적인 생각을 하고 있다고, 어떤 기사에서 읽은 적이 있다. 아무리 생각해도 솔직히 그건 조금 과장된 얘기 같지만.

남자의 머릿속은 외설에 지배당하고 있다. 우리 같은 젊은 남자라면 더 그렇겠지.

그래도 나는 너에게 성욕 이상의 것을 느끼고 있다.

그게 무엇인지는 부끄러워서 한 번도 입 밖으로 낸 적이 없지만.

내 안에는 확실히 계속 존재하고 있다.

그 사랑이, 내 안의 짐승을 누르고 있다.

너의 가녀리면서도 육감적인 몸을 밀어 눕히고 네가 눈물을 흘릴 만큼 거세게 사랑을 나누는 망상이 머릿속에서 몇백 번, 몇천 번이나 펼쳐졌는지 모른다.

하지만 현실의 너를 만나면.

나는 너를 다정하게 대하고 싶어져 버리는 것이다.

슬퍼하는 얼굴은 보고 싶지 않고, 늘 행복하게 미소 짓고 있기를 바라게 된다.

평생 소중히 아끼고 싶다.

그 마음과 몸. 눈물 한 방울까지도.

지나가는 낯선 커플에게 너의 소중한 몸의 일부를 보여 주고 싶지 않다.

그래서 그런 일을 할 때는 반드시 둘만 있을 수 있는 곳에서.

루나가 납득한 타이밍에 하고 싶었다.

그때가, 드디어 다가왔다.

다가오는 것이다.

◇

4월이 되었다.

대학이 시작되어 새로운 강의 요강을 손에 든 나는 올해 시간표를 결정하기 위해 쿠지바야시와 합류했다.

"카시마 공. 조조지의 벚꽃은 보셨소?"

"아니. 아직 피어 있어?"

"만개했지. 훌륭했다오. 도쿄 타워에서 내려다보는 경치는 압권일 거요."

"그렇구나."

"보러 가시겠소? 그럼, 모시고 가겠소."

그리하여, 어쩌다 보니 나는 쿠지바야시와 도쿄 타워로 걸어가게 되었다.

도쿄 타워의 메인 데크에서 내려다보는 시바코엔 일대의 벚나무는 확실히 아름다웠다. 꽃구경을 할 목적으로 들른 사람은 별로 없었는지, 관광객들은 생각지도 못한 절경에 환성을 내지르고 있었다.

"……봄이네."

나도 마음이 들떠서, 저도 모르게 혼잣말을 했다.

"봄이 왔노라, 사람들은 말하나, 휘파람새 울지 않는 한, 그렇지 않으리오……."

"엥?"

유리창 너머의 풍경에 시선을 고정한 채 난데없이 시를 읊기 시작한 쿠지바야시에게 당황하는데, 그가 말했다.

"'봄이 왔다'고 사람들은 말하지만, 휘파람새가 울기 전까지는 봄은 오지 않았다고 생각한다…… 라는 노래요. 작자는 미부노 타다미네. 출전은 『고금와카집』."

"……아하."

"현대 도시에서는 휘파람새가 울지 않으니, 봄은 영원히 찾아오지 않겠지."

"하아."

"마치 소생의 인생 같구려."

"……."

그 '봄'이라는 건, 그렇군. 연애를 뜻하는 거구나.

눈 아래에 펼쳐진 벚나무를 지나쳐 먼 곳만 쳐다보는 쿠지바야시에게 나는 왠지 모를 미안한 마음이 들었다.

그렇게 우리들은 메인 데크에 있는 카페에서 차를 마시며 테이블에 강의 요강을 펼쳐 놓고 시간표를 짜기 시작했다.

"……쿠지바야시, 이 3교시 국어학 강의 들을 거야? 그럼 나도 들게."

"하지만 그렇게 되면 듣는 강의가 너무 많아지지 않겠소? 3학년이나 돼서…… 카시마 공은 취업 준비도 해야 할 테지?"

"교직 이수를 하고 있어서 많아지는 건 어쩔 수 없어. 4학년 때는 제미 정도만 듣고 싶으니까."

"여자 친구와 지내는 시간이 줄어도 상관없소?"

일부러 아픈 곳을 찌르는 말에, 나는 억지로 미소를 지었다.

"괜찮아, 그쪽도 바쁘니까. 그리고······."

나는 얼굴을 들고 창 쪽을 보았다. 많은 관광객들의 머리 너머로 정오를 조금 지난 시간의 맑은 하늘과 도쿄의 풍경이 멀리까지 내다보였다.

"······여름방학 때, 여자 친구랑 외박 여행을 가기로 했거든."

날뛰기 시작하려는 가슴을 억누르며 말하자, 쿠지바야시가 '흐음' 하고 신음을 흘렸다.

"오늘 귀군이 들떠 있었던 이유가 그거였구려."

"어?"

다 꿰뚫어 보고 있었구나. 그렇게 생각하니 민망해져서 스스로도 얼굴이 달아오르는 것을 알 수 있었다.

"······귀군들은 여행이 처음이오?"

탐색하는 듯한 쿠지바야시의 시선을 받으며 나는 살짝 조바심을 느꼈다.

"으, 응. 그동안은 여자 친구가 바쁘거나 해서······."

"그건 그렇다 쳐도, 흡사 처음 동침하는 것처럼 들떠 있구려. 여행은 처음이라도 밤을 함께 보내는 건 처음이 아닐 터인데."

쿠지바야시의 안경 너머로 보이는 눈동자는 더욱 날카로워져서, 꼭 신문 중인 유능한 형사처럼 무서웠다.

그 모습을 보며, 나는 마침내 그에게 진실을 말할 기회가 온 것일지도 모른다고 생각했다.

"아니…… 그게, 실은, 말인데."

횡설수설하기 시작한 나를, 쿠지바야시는 빈틈없는 얼굴로 감시했다.

"확실히, 몇 년 전부터 이미…… 나랑 여자 친구는 그런 일을 할 마음은 충분히 있었지만……."

창피해져서 강의 요강으로 시선을 내렸다. 하지만 눈은 글자 위를 깔끔하게 미끄러졌다.

"아니, 지금도 제대로 있긴 하지만. 단지……."

눈을 들자 쿠지바야시는 역시나 나를 똑바로 쳐다보고 있었다.

"얘기가 약간 길어질 텐데, 들어 줄래……?"

그때, 쿠지바야시의 얼굴에 초조한 기색이 어렸다.

"자, 잠시 기다리시오, 카시마 공."

양손을 가슴 위로 올리며 '기다려'의 제스처를 취한다.

"혹시나…… 혹시나 싶소만……."

말도 안 된다는 얼굴을 하며 쿠지바야시가 입을 열었다.

"설마……."

그렇게 말하고는 한 차례 숨을 삼킨 뒤.

"귀군도…… 동정 요괴인 것이오……?"

머뭇거리며 물어보는 쿠지바야시를 향해.

나는 어색하게 고개를 끄덕였다.

후기

키미제로, 난데없는 대학생 편 돌입입니다. 어떠셨나요?

5권 마지막의 한 문장은, 실은 독자 여러분께 드리는 메시지였습니다.

이런 식으로 전개하려는 구상은 3권 때부터 담당자님과 의논해 왔고, 서프라이즈 형식으로 공개하려고 발매 전 줄거리 등에서도 관련 내용은 숨기고 있었습니다.

3년이 지난 덕분에 마리아를 이야기의 중심으로 다시 데리고 올 수 있게 돼서 다행이라고 생각합니다.

5권에서 이어지는 류토의 고3 시절 에피소드는 현재 드래곤 매거진에서 단편 연재 형식으로 집필하고 있습니다. 아직 좀 더 고등학생 루나 일행을 만나고 싶으신 독자분들께서는 부디 드래곤 매거진 쪽도 봐 주세요!

대학생 편을 집필하기 무섭게 대학 시절 아싸로 한껏 예민함을 뽐내던 기억이 하나둘씩 되살아나서 정말 괴로웠습니다. 류토가 점점 저와 비슷해지기 시작하고 말았습니다. 이젠 거의 저네요.

호오 대학은 호세이 대학과 제 모교인 게이오기주쿠 대학을 비틀어 만든 허구의 대학 이름입니다만, 이번에 집필을 하면서 그대로 제 모교가 돼 버리고 말았습니다……. 뭐, 그래도 대학은 아마 어디든 별반 다르지 않을 테니까요. (구조라든가 시스템이라든가) 그렇게라도 변명하게 해 주세요.

제가 술에 찌든 학생 시절을 보냈기 때문에, 요즘 아이들은 그렇게 술을 많이 마시지 않는다는 걸 알면서도 술 없는 학생 생활을 상상할 수 없어 술을 먹이지 않을 수 없었습니다. 담당자님께서도 태클을 거셨지만, '나가오카 씨니까 어쩔 수 없네요.' 하고 관대하게 넘어가 주셨습니다. 류토의 3월생 설정이 여기에서 이렇게 활용될 줄은 생각지도 못했습니다(지난 권에서 그러고 보니 류토의 생일을 안 정했다는 걸 알고 황급히 집어넣었죠).

그런 저도 학부생 시절엔 맥주 한 모금만 마시고도 '써…….' 하고 얼굴을 찡그렸지만요. 참고로 당시에 자주 마셨던 건 우롱하이입니다.

그리고 새로운 캐릭터 쿠지바야시에 대해서. 저희 담당자님께서 바로 '쿠지링'이라는 별명을 붙여 주셨으니, 괜찮으시면 여러분께서도 불러 주세요.

쿠지링은 제 대학 시절 남자 사람 친구가 모델입니다(잘생겼음에도 자기 평가가 낮은 동정이라는 설정은 제 변변찮은 데뷔작 『중의 하!(中の下!)』에 등장하는 쿠로카와의 모델이 되기도 했습니다).

그래도 말투는 저렇지 않았습니다만(그 부분은 따로 모델이 있습니다), 그가 있어 준 덕에 대학 시절 제가 무척 구원받았다는 점은, 류토와 쿠지링에게도 똑같이 반영되어 있습니다. 소중한 친구였습니다. 그가 어디선가 이 책을 읽어 주고 있다면 좋겠네요.

이번에도 일러스트를 담당해 주신 magako 님께서 섬세하고 미려한 필치로 멋진 일러스트를 많이 그려 주셨습니다. 바쁘신 와중에 정말로 감사합니다!

　담당 편집자 마츠바야시 님께도, 여전히 계속 신세를 지고 있습니다. 늘 감사합니다! 마음이 너무 잘 통하다 보니, 가끔 여러 가지 것들을 졸속으로 처리해 버려서 죄송합니다!

　또, 애니화를 계기로 친분을 쌓게 된 각본가이자 작가이신 후쿠다 히로코 님(키미제로에서는 시리즈 구성을 담당)께서는, 이번 책을 집필하는 중에도 이야기 상대가 되어 주시거나, 제 창작 의욕을 지탱해 주셔서 정말 감사하고 있습니다. 이 나이에 시간 가는 줄 모르고 정신없이 이야기를 나누고 싶다는 생각이 드는 친구를 둘이나 얻을 수 있었던 것을 진심으로 행복하게 여기고 있습니다.

　애니메이션 팀의 멋진 스태프분들의 힘으로 애니 쪽도 착착 완성을 향해 가고 있습니다. 부디 기대하면서 기다려 주세요!

　그럼 7권에서 다시 만나 뵐 수 있기를 기원하며!

2023년 2월

나가오카 마키코

경험 많은
너와
경험 없는
내가
사귀게 된
이야기.

초판 1쇄 인쇄 2025년 1월 10일
초판 1쇄 발행 2025년 1월 15일

저자 : 나가오카 마키코
번역 : 조기

펴낸이 : 이동섭
편집 : 이민규
디자인 : 조세연
기획 · 편집 : 송정환, 박소진
영업 · 마케팅 : 조정훈, 김려홍
e-BOOK : 홍인표, 최정수, 김은혜, 정희철, 김유빈
라이츠 : 서찬웅, 서유림
관리 : 이윤미

㈜에이케이커뮤니케이션즈
등록 1996년 7월 9일(제302-1996-00026호)
주소 : 08513 서울특별시 금천구 디지털로 178, B동 1805호
TEL : 02-702-7963~5 FAX : 0303-3440-2024
http://www.amusementkorea.co.kr

ISBN 979-11-274-8349-4 04830
ISBN 979-11-274-5206-3 04830 (세트)

KEIKEN ZUMI NA KIMI TO, KEIKEN ZERO NA ORE GA, OTSUKIAI SURU HANASHI.
Vol.6
©Makiko Nagaoka, magako 2023
First published in Japan in 2023 by KADOKAWA CORPORATION, Tokyo.
Korean translation rights arranged with KADOKAWA CORPORATION, Tokyo.